CB067807

Assinale as afirmações com as quais você se identifica:

( ) Você tem dívidas e não sabe como sair delas.

( ) Você não tem controle sobre os seus gastos e odeia pensar nos seus boletos.

( ) Você nunca teve educação financeira em casa.

( ) Seus pais não são o melhor exemplo de equilíbrio financeiro do mundo.

( ) Seu salário parece água em frigideira quente (cai na conta e evapora).

( ) O cartão de crédito virou uma bola de neve.

( ) Você nunca investiu dinheiro na vida porque não sabe nem por onde começar.

( ) Você até consegue fazer sobrar dinheiro, mas ele não está trabalhando pra você como deveria.

( ) Todas as anteriores.

Só compre este guia se você tiver pelo menos um dos problemas acima.

SE POUPE.

NATHALIA ARCURI
EM DEPOIMENTO A SIBELLE PEDRAL

GUIA PRÁTICO ME POUPE!
33 DIAS PARA MUDAR SUA VIDA FINANCEIRA

SEXTANTE

Copyright © 2020 por Nathalia Arcuri

Todos os direitos reservados.
Nenhuma parte deste livro pode ser utilizada ou reproduzida sob quaisquer meios existentes sem autorização por escrito dos editores.

edição: Virginie Leite
revisão: Hermínia Totti, Rafaella Lemos e Sheila Louzada
projeto gráfico, diagramação e capa: Tabaruba Design/Bruno Lemgruber
foto de capa: Marcelo Spatafora
cabelo e maquiagem: Fábia Mirassos
figurino: Carol Donato e Milton Fucci
camareira: Patrícia Campos Minekawa
tratamento da foto de capa: Edição da Imagem
ilustração da p. 73: Tabaruba Design sobre foto de Marcelo Spatafora
impressão e acabamento: Lis Gráfica e Editora Ltda.

CIP-BRASIL. CATALOGAÇÃO NA PUBLICAÇÃO
SINDICATO NACIONAL DOS EDITORES DE LIVROS, RJ

A718g

    Arcuri, Nathalia
        Guia prático me poupe! : 33 dias para mudar sua vida financeira / Nathalia Arcuri. - 1. ed. - Rio de Janeiro : Sextante, 2020.
        176 p. ; 23 cm.

        "Nathalia Arcuri em depoimento a Sibelle Pedral"
        ISBN 978-65-5564-097-7

        1. Finanças pessoais. 2. Educação financeira. 3. Sucesso nos negócios. I. Título.

20-67064   CDD: 332.024
                                  CDU: 330.567.22

Meri Gleice Rodrigues de Souza - Bibliotecária - CRB-7/6439

Todos os direitos reservados, no Brasil, por
GMT Editores Ltda.
Rua Voluntários da Pátria, 45 – Gr. 1.404 – Botafogo
22270-000 – Rio de Janeiro – RJ
Tel.: (21) 2538-4100 – Fax: (21) 2286-9244
E-mail: atendimento@sextante.com.br
www.sextante.com.br

Às minhas cobaias do método, que, sem saber,
estavam mudando a própria vida e ajudando
a mudar a vida de milhões de pessoas.

SUMÁRIO

Introdução: Quem sou eu e por que fiz este guia prático *11*

Modo de usar: Como extrair o melhor deste guia prático *17*

Autoavaliação *25*

Dia 1: Prepara que agora é hora... ..... *30*

Dia 2: Quanto você ganha? Parece óbvio, mas não é *32*

Dia 3: Quanto você gasta? *35*

Dia 4: O que é essencial? *38*

Dia 5: Canetinhas superpoderosas *40*

Dia 6: Quanto você deve? *43*

Dia 7: Quanto você investe? *48*

Dia 8: Selfie da riqueza *55*

Dia 9: Quais são os seus valores? *57*

Dia 10: Sonhe grande (porque sonhar grande e pequeno dá o mesmo trabalho) *60*

Dia 11: Transformando sonhos em metas *62*

Dia 12: A maravilhosa fórmula do 70/30 ..... *67*

Dia 13: Renda extra *74*

Dia 14: A técnica dos envelopes *80*

Dia 15: Montanha de inutilidades *85*

Dia 16: Negociação de custos fixos *88*

Dia 17: Aprenda economês *91*

Dia 18: Reserva de emergência *95*

Dia 19: Cara a cara com Sidinelson: renegocie suas dívidas . . . *98*

Dia 20: Cuidado com os aplicativos. *104*

Dia 21: Sessão Pipoca. *107*

Dia 22: Pessoas-foguete e pessoas-âncora. *110*

Dia 23: Faz um Nathflix: onde investir *114*

Dia 24: Elimine produtos ruins *120*

Dia 25: Será que eu ganho bem ou mal?. *124*

Dia 26: Eu mereço o que ganho ou ganho o que mereço?. . . . *127*

Dia 27: Espelho, espelho meu. *134*

Dia 28: Hora de ganhar mais *137*

Dia 29: Ei, me dá um desconto aí?. *144*

Dia 30: Um dia sem reclamar. *147*

Dia 31: O primeiro investimento a gente nunca esquece
(nem o segundo, nem o terceiro...). *151*

Dia 32: Procure alguém que puxou o seu tapete e agradeça . . *155*

Dia 33: Ah, que festa da riqueza!. *158*

Ciclo de riqueza. *163*

Para refletir: Se você tem ou pensa em ter...
  Carro. *164*
  Casa própria *165*

Respostas *168*

Notas *169*

Esta página existe por um motivo comprovado cientificamente. Não colocar seu nome aqui pode atrapalhar o resultado final. Comprometa-se, nem que seja a lápis.

TERMO DE COMPROMISSO

Eu, ...,
me comprometo a seguir os
33 passos deste guia prático
com foco, disciplina e consciência
e assumo 100% da responsabilidade
sobre o sucesso de sua execução.

SEGURA A ANSIEDADE:
A desfudência está a apenas 5 minutos de leitura!

INTRODUÇÃO: QUEM SOU EU E POR QUE FIZ ESTE GUIA PRÁTICO

Ouço fogos de artifício? Alguém abriu um champanhe? Opa, não é nada disso, mas, para mim, é como se fosse só porque você chegou a este livro, a esta página, a este desafio que vai mudar a sua vida em 33 dias!

Ah, que festa da desfudência!

Não, isso não é autoajuda barata e, se eu uso essas expressões chulas, pode ter certeza que é por um bom motivo. Imagina que saco ter que botar a mão na massa e mexer na sua vida financeira com alguém que fala difícil no seu ouvido? Eu, hein! Pra quê?

Se tem uma coisa que eu descobri enquanto criava este método é que quanto mais divertido o processo, mais eficiente ele é. Então relaxe, aproveite e prepare-se para dar boas risadas da sua própria desgraça e das piadas ruins que eu vou fazer até o final da nossa jornada.

Isto aqui não é enrolação. Não é sonho nem miragem. É o mais completo, prático e comprovado método para tirar você do buraco ou te colocar direto na trilha do enriquecimento lícito.

Meu nome é Arcuri, Nathalia Arcuri. Sou fundadora e hoje CEO da Me Poupe!, que começou em 2015 com duas funcionárias – eu e uma colher de pau – e que cinco anos depois estava entre as 50 empresas mais lembradas pelos brasileiros durante a pandemia de coronavírus, à frente de gigantes como Google e XP Investimentos.

Se você me conhece, oi! E aí, tudo bem? Aguenta um pouquinho porque eu preciso me apresentar aos recém-chegados.

Tem gente que diz que sou autora best-seller (se não leu ainda, leia *Me Poupe! 10 passos para nunca mais faltar dinheiro no seu bolso*, publicado por esta mesma editora, a Sextante), influenciadora (a pesquisa Ipsos de 2019 apontou que eu sou a mulher mais influente do YouTube no Brasil – não sou pouca porcaria, não: sou o pote cheio), milionária (com certeza) por mérito e determinação, além de professora (dos meus alunos espalhados por todo o mundo – se você quiser fazer um dos meus cursos, acesse *www.mepoupemais.com.br*). Sou jornalista de formação e, desde criança, apaixonada por poupar e investir.

Com 7 anos, comecei a juntar dinheiro para comprar um carro quando fizesse 18. Com 18, ganhei o tal carro e usei o dinheiro que tinha poupado dos 7 aos 18 para fazer meu primeiro investimento e comprar meu apartamento à vista quando saísse da faculdade. Esse primeiro investimento da vida foi em previdência privada. Não era a melhor alternativa, mas isso eu só descobri depois, e nunca mais caí nessa armadilha. Caí em outras, claro, mas sempre tirei aprendizados e hoje compartilho todos para que você não cometa os mesmos erros que eu.

Com 23, comprei meu primeiro apartamento, à vista, com 15% de desconto depois de passar duas horas negociando. Perto dos 30, achei que podia transformar minha paixão em empreendimento e criei um blog chamado poupecomsara, que foi o embrião do Me Poupe!, uma plataforma gigantesca que, enquanto escrevo este guia, impacta 15 milhões de pessoas todos os meses.

Preste atenção: há mais de 5 milhões de inscritos no meu canal no YouTube. São pessoas em busca de orientação para organizar a vida financeira e que me ouvem falar – nem sempre com doçura – sobre dinheiro.

Como sabem todos os mepoupeiros, sim, eu acredito que às vezes tudo o que a gente precisa é de um chute na bunda para ir pra frente. Quero que este guia te empurre com os dois pés pra você alcançar seus objetivos mais rápido.

Ah, importante! Você pode estranhar o jeito natural como eu falo sobre os meus números, sobre o dinheiro que eu tenho e sobre algumas cifras ao longo deste manual. Se algum pensamento do tipo "Nossa, que arrogante!" passar pela sua cabeça, fique alerta: isso é sintoma de dinheirofobia. O primeiro capítulo do meu livro **Me Poupe! 10 passos para nunca mais faltar dinheiro no seu bolso** aborda justamente essa doença e o seu tratamento. Vá em busca da cura. A informação é o melhor remédio. Tanto lá quanto aqui você aprenderá a se livrar da mentalidade que impede o seu enriquecimento.

Poupando, negociando, fazendo escolhas mais inteligentes, deixando de gastar com taxas que eu não precisava pagar e com coisas que eu não precisava comprar, colocando o meu dinheiro para trabalhar cada vez mais por mim, conquistei minha independência financeira aos 33 anos, muito antes do que imaginei nos meus sonhos mais selvagens. Isso significa que hoje trabalho porque quero, não porque preciso. **EU AMO** o que faço porque não há dinheiro no mundo que pague um "Muito obrigado por ter mudado a minha vida, Nath".

Eu vim de fábrica com um estranho chip que pouca gente tem. Por algum motivo, miro de forma certeira no que é mais importante e nada me faz desviar. Reconheço que nem todo mundo deixa de levar uma bota linda que viu no shopping porque pensa primeiro em quantos metros quadrados de piso cerâmico poderia comprar com aquele dinheiro (eu fiz essa conta na época da reforma do primeiro apartamento, que veio pelado na planta). Mas o tempo e a experiência me mostraram que qualquer pessoa pode cultivar um relacionamento sério e bem-sucedido com o dinheiro SEM ABRIR MÃO DE NADA. Este livro vai ser a sua iniciação nesse mundo mágico.

DE ONDE EU VIM?

Sou filha de pai engenheiro e mãe dona de casa, a típica família de classe média. Nunca faltou nada em casa, mas também nunca sobrou. "Não tem dinheiro pra isso" sempre foi uma frase muito comum, e sou eternamente grata aos meus pais por isso. Se não fossem aqueles "Você não é todo mundo" ou "Não fez nada além da sua obrigação", e a minha favorita, "Cresça e apareça", eu não estaria fazendo este guia para você hoje. Meus pais cortaram um dobrado para dar conta de três filhas.

Fiz carreira como jornalista de televisão cobrindo todo tipo de acontecimento que você possa imaginar, mas economia nunca foi um tema que colocaram na minha mão. Em 2012, eu, que sempre fui "a nerd das finanças", propus um quadro novo ao programa de TV em que eu trabalhava. A ideia era bem ousada: um reality show onde eu pegaria pessoas endividadas e as transformaria em investidoras em **APENAS QUATRO SEMANAS.**

Meu chefe na época AMOU a ideia. Amou tanto que deu para outra pessoa fazer...

Coisas da vida. Nessas horas você tem duas alternativas:
1. Colocar a culpa da sua frustração na "maldade das pessoas".
2. Enxugar as lágrimas e aprender com o tombo que levou.

Eu só estou aqui porque escolhi a segunda opção e recomendo fortemente que você faça a mesma coisa caso aconteça, ou já tenha acontecido, algo parecido com você.

Em vez de ficar amaldiçoando o meu diretor, tentei entender por que convidaram o apresentador do programa para fazer o reality e não a mim, a criadora do projeto. A resposta foi reveladora: "Ele tem especialização em economia, você não."

A partir daquele instante fui buscar mais conhecimento. E logo entendi que a economia tradicional não me daria as ferramentas necessárias para mudar a vida financeira de uma pessoa em quatro semanas. Já nas minhas pesquisas preliminares descobri que tinha um monte de economista endividado...

"Eita... então acho que esse não é o caminho", pensei.

Eu sabia, por experiência própria, que números e planilhas não faziam milagre. Nunca tinha feito uma planilha na vida e, mesmo assim, era a única da minha família, da minha roda de amigos e do meu grupo de colegas que tinha MUITO dinheiro.

Parti em busca de respostas. Não era possível que eu fosse uma aberração. Tinha que existir uma explicação científica para aquela habilidade.

E adivinha só? Eu encontrei todas as respostas de que precisava – muitas das quais você vai encontrar neste guia.

Tudo aconteceu muito rápido desde então: transformei o blog em site, lancei um canal no YouTube para espalhar minhas descobertas de um jeito divertido, criei programa de rádio, podcast, lancei livro, desenvolvi um curso completo on-line, dei palestras e treinamentos por todo o país e, em 2019, finalmente coloquei no ar, em TV aberta, na Band, aquele reality que eu tinha criado em 2012. Assim que abri as inscrições, minha caixa de mensagens explodiu: foram mais de 3 mil pedidos em menos de quatro dias.

Foi difícil escolher apenas 12 entre tantas pessoas precisando de ajuda. Cada uma delas seguiu uma cartilha desenvolvida por mim e o processo foi acompanhado de perto por uma equipe de 120 pessoas. A série toda já teve mais de 3 milhões de visualizações e está no canal do Me Poupe! no YouTube, caso você queira ver com os próprios olhos o que aconteceu com meus 12 candidatos a desfudidos.

Tivemos uma baixa ao longo do processo, já que nem todo mundo está disposto a fazer o que é necessário para mudar, e 11 mudanças comprovadas. Em menos de quatro semanas, 92% dos participantes se tornaram investidores e, mesmo após o término das gravações, **TODOS** mantiveram a rotina de investimentos, renda extra e escolhas mais inteligentes.

Ao longo da produção do reality para a TV, ficou claro que eu estava desenhando um passo a passo que qualquer pessoa poderia usar para sair do endividamento, reorganizar a vida financeira e começar a investir. Essa constatação me deu aquele calorzinho no sovaco, sabe? Eu pressenti que poderia ajudar a desfuder mais gente além das pessoas que participaram do reality. Este livro que você tem nas mãos é o resultado dessa epifania.

"Ó musa dos investimentos milionários, que multiplica sua fortuna até em tempos de Selic miserável, não tem um plano de leitura, um manual de instruções para a gente seguir?"

Eita, calma! Tem, sim! Eu já ia chegar lá.

MODO DE USAR: COMO EXTRAIR O MELHOR DESTE GUIA PRÁTICO

PASSO 1: Siga a mestre

O meu jeito de falar é divertido, mas o método que criei é muito sério, não subestime os seus efeitos.

Este livro traz instruções diárias que devem ser seguidas rigorosamente dentro do prazo estipulado. Leia o que está escrito na capa. Não são "28 dias para fazer as pazes com seu dinheiro" nem "329 dias para procrastinar e não sair do lugar".

São 33 dias.
Então faça em 33.

Eu me comprometo a mostrar o caminho para a mudança, mas preciso de comprometimento da sua parte. Para que isso aconteça, quero combinar algumas coisas com você.

A primeira e mais elementar é: faça o que eu disser, na ordem proposta, e não dê jeitinhos.

"Você que pensa que eu vou seguir à risca esse negócio."

Como eu disse algumas vezes para os participantes do reality: "Você fez do seu jeito a vida inteira e deu no que deu…"

Pense comigo: este desafio vai durar apenas 33 dias. Se nada acontecer, você volta para o seu jeito de cuidar do dinheiro e seguimos a vida, sem ressentimentos.

Temos um acordo?

(Se você continua aqui, vou considerar isso um SIM bem grandão.)

Aêêêêêêêêê!!!

Saiba que você acabou de passar no meu primeiro teste de estresse. É assim que a gente reconhece uma pessoa potencialmente rica. Se você ficou, tem muito mais chance de chegar ao final com muito mais dinheiro.

Este guia prático servirá também como um diário da sua vida financeira enquanto você estiver aqui comigo. Fiz tudo para facilitar o seu trabalho: criei tabelas e deixei espaços para você registrar seus gastos e renda extra. Inventei jogos e testes para fazer você rir quando parecer que está no inferno. E cada dia tem sempre um momento de reflexão para te ajudar a não desistir. Na página 169, há uma seção para outras notas que julgar importantes.

PASSO 2: Faça apenas o que tem pra hoje

No início de cada atividade, você encontra um 🕐 com a indicação do tempo necessário para realizá-la. Assim você poderá se programar em relação ao melhor horário para encarar o desafio. Espere o dia seguinte para fazer a próxima tarefa. Não pule etapas, a não ser que eu dê orientações nesse sentido. Pode acontecer, por exemplo, de você não ter dívidas (uhul!), e nesse caso eu vou dizer que você deve pular o dia de levantamento das dívidas.

PASSO 3: Não minta pra você

Seja fiel aos dados, aos fatos e aos seus sentimentos. Se este guia é a boia para salvar você do mar turbulento do endividamento, de que adianta mentir? Eu sei que é ruim. Eu sei que dá medo. Eu sei que é muito mais agradável sair por aí e fazer mais uma parcelinha no cartão do que olhar o tamanho do buraco em que você se meteu. O sabotador que mora dentro de você está louquinho para que você fracasse. Mostre a ele que você pode mais. Segure na minha mão e vamos lá. Eu sei que dá certo. Encare com bravura o questionário de autoconhecimento financeiro que eu bolei. Vai ser bom pra você.

PASSO 4: Pare agora de gastar com o que não é essencial

Se você está lendo estas linhas em uma quinta-feira pensando que amanhã vai sextar com os amigos no barzinho para se despedir da vida louca, pare agora. Não enfie o pé na jaca só porque sabe que tempos EXTREMOS virão. Não piore o que possivelmente já está complicado. Não cultive pensamentos do tipo: "O que é um peido pra quem já está cagado?"

A regra é: **não piore as coisas pra você.**

PASSO 5: Dê adeus ao cartão de crédito. A todos eles. Até os de loja e de supermercado

Nada de cartão de crédito até concluir os 33 dias de tarefas deste guia. Faz parte do método usar apenas dinheiro em espécie e cartão de débito para movimentar a sua conta e pagar boletos, caso você não use o seu aplicativo do banco para fazer isso.

PASSO 6: Anote tudo o que comprar

Se não precisar de nada pelos próximos dias, simplesmente não compre nada. Se tiver que comprar algo indispensável, anote.

PASSO 7: Olhe seu saldo diariamente a partir de hoje

E mantenha um controle rigoroso do que entra e do que sai – mas, lembre-se, só faça gastos absolutamente essenciais.

PASSO 8: Compartilhe a sua experiência

Pode ser com um amigo, a sua irmã, uma colega de trabalho – qualquer pessoa de confiança e que você tenha certeza de que vai te incentivar a cumprir os 33 passos propostos neste guia. Xiiii, na sua família ninguém te apoia? Relaxa. Tem muita gente que passa pela mesma situação, e sabe onde essas pessoas encontram força para permanecer firmes no propósito?

Nas redes sociais!

Se você entrar agora no Instagram ou no Facebook e buscar a hashtag **#GuiaPraticoMePoupe**, vai encontrar centenas de pessoas que estão passando ou já passaram pela mesma experiência. Você pode ajudar muita gente compartilhando as suas dificuldades e pequenas vitórias nos próximos 33 dias.

> **! Importante: para cumprir as tarefas, você vai precisar de dinheiro vivo – e para isso é preciso... dinheiro.**

Vou te dar a real dos próximos dias. Vai ser assim:

Você olha para o que precisa pagar nas próximas semanas do guia e soma todos os boletos.

Checa no extrato se tem, ou terá, dinheiro para esses boletos e contas fixas até o vencimento. Exemplo: a conta de luz vence dia 9, seu salário cai dia 7 e hoje é dia 3. Se tiver o dinheiro, deixe-o reservado lá mesmo. Eu tenho planos para o excedente.

Se a soma dos boletos e das contas que chegarão for maior do que o total que você tem ou terá no dia do vencimento, você tem algumas alternativas:

- negociar o adiamento de alguma das contas (financiamentos, fatura do cartão, data de pagamento de contas em geral);
- levantar o necessário para o pagamento dos boletos fazendo renda extra imediatamente (calma que eu já explico);
- não pagar, que é a última opção e só pode ser usada no caso de boletos em que a multa por atraso for menor que a taxa de juros de um empréstimo. Cartões de crédito devem ser quitados 100%. Nunca pague o mínimo. Fazer isso vai acarretar juros exorbitantes e atrapalhar todo o plano. Se possível, atrase outras contas para quitar o cartão na íntegra sem precisar usar o cheque especial, que é outro vilão.

"Nath, sinto te desapontar logo de cara, mas não tem nada no banco. Não vai rolar."

Calma. Eu previ isso. Você não está só! Caso não tenha nada na conta, já vai pensando em maneiras de levantar uma grana. Sem isso, você vai enfrentar dificuldades nas próximas semanas.

Eu, se fosse você, começaria a fazer renda extra hoje.

"E o que vem a ser renda extra, minha rainha do método libertador dos bolsos?"

Renda extra é aquela grana que vai te dar o suporte para executar o nosso plano. Uma das participantes do reality escolheu vender alguns itens do guarda-roupa que estavam sem uso. Outra optou por vender salada de frutas no parque perto de casa. Em um caso mais grave, a participante teve que se desfazer do carro para sair das dívidas mais depressa. Talvez isso tenha que acontecer com você, mas não sofra por antecipação. Tudo vai rolar no tempo certo.

Este guia dedica um dia inteiro ao planejamento da renda extra. Se você está zerado, pode antecipar esta etapa para, tipo, agora, e ganhar um dia de folga lá na frente. O planejamento da renda extra é a tarefa do **Dia 13**.

O LIVRO INFINITO

Outra belezura deste livro é que ele pode ser usado mais de uma vez pela mesma pessoa. Você pode repetir o percurso quantas vezes quiser e ele nunca vai ficar ultrapassado. Sabe por quê? Porque cada vez que você finalizar um ciclo de 33 dias vai encontrar lá na frente uma nova pessoa, uma nova versão de você, alguém com novos objetivos e uma vida financeira muito mais saudável – o que não significa que já esteja perfeita.

O ideal é que você pratique este ciclo até torná-lo um hábito. Quando sentir segurança, pode dar um tempo entre um ciclo e outro. Dessa maneira os resultados do ciclo anterior já terão aparecido e vai ficar mais fácil escolher os objetivos dos próximos 33 dias de desafio.

Vamos olhar para o futuro: sua vida financeira entrou nos eixos e, pela primeira vez, você se sente no comando da relação entre você e seu dinheiro, mas ainda tem algumas dívidas para quitar e metas e metinhas para cumprir. Pois comece de novo! Responda outra vez ao questionário de autoavaliação (você já vai perceber a primeira transformação mental!) e percorra novamente os 33 dias como se fosse a primeira vez. E sabe o que é melhor? Será uma experiência completamente diferente.

O QUE NÃO ESPERAR DESTE GUIA

Preste atenção porque isso é muito importante para o futuro do nosso relacionamento. Aqui só nos comprometemos com o que podemos entregar, certo?

Você não vai chegar ao seu primeiro milhão em 33 dias, a não ser que já esteja próximo disso ou que venda algum bem desse valor. Se a sua expectativa era ficar milionário ou milionária em prazo recorde, sem precisar trabalhar e se esforçar demais para isso, sinto muito. Autora errada.

Você também não vai virar o/a maior especialista em investimentos do país nem vai ser capaz de dar uma aula sobre o assunto.

Este guia foi feito para ser prático. Caso você queira se aprofundar no método por trás dele, recomendo que faça um dos meus cursos on-line:

Jornada da desfudência – pra você que quer sair da pindaíba e aprender a planejar sua vida financeira com um acompanhamento personalizado:
www.jornadadadesfudencia.com.br

Eu chefe de mim – pra você que é autônomo(a):
www.euchefedemim.com.br

Meu salário, minhas regras – pra você que é assalariado(a):
www.meusalariominhasregras.com.br

Minha carteira nº 1 – pra você que quer dar o primeiro passo e montar sua carteira de investimentos em renda variável:
www.minhacarteiranumeroum.com.br

Ufa, agora tô mais tranquila. Nada de expectativas mal dimensionadas neste nosso início de relacionamento!

O QUE ESPERAR DESTE GUIA

Controle absoluto sobre o dinheiro e muito mais autonomia sobre os seus impulsos.

Você pode esperar a melhor vida financeira que já teve. Isso eu posso garantir.

Você vai medir todo o progresso feito ao longo dos próximos 33 dias e vai comprovar o que eu estou "profetizando" agora.

E não, eu não tenho dons premonitórios. Só sei que o método funciona porque foi testado.

A partir de agora o futuro está nas suas mãos – e o dinheiro muito em breve estará também.

HORA DE COMEÇAR!

AUTOAVALIAÇÃO

Antes de mergulhar de cabeça no Dia 1...

... eu quero que você tire todas as suas máscaras e faça a autoavaliação mais sincera e objetiva de todos os tempos sobre a sua relação com dinheiro.

Aqui estamos só eu e você – ninguém mais precisa saber do resultado. Pode ser que o retrato que saia daqui não seja o mais bonito nem o mais lisonjeiro para a sua reputação, mas é o que temos pra hoje – e é apenas isso que eu quero agora.

Leia com atenção as frases que formulei e indique em que nível essas afirmações se aplicam à sua vida. Levando em consideração que 1 significa "Nada a ver com a realidade" e 10 representa "Exatamente a minha realidade", numa escala de 1 a 10, em que ponto você está?

SPOILER: quando você chegar ao final do livro, depois de ter cumprido todo o percurso deste guia, vou pedir para refazer esta autoavaliação, e então espero que você entenda e valorize tudo o que aconteceu ao longo da nossa jornada.

Pronto? Pronta?

1. Tenho muita facilidade em falar sobre dinheiro. Quando me perguntam quanto ganho, respondo de boa. Não sinto vergonha de pedir desconto em lojas nem de negociar aumento de salário.

1	2	3	4	5	6	7	8	9	10

2. Todos os meses, poupo 30% ou mais do que ganho.

1	2	3	4	5	6	7	8	9	10

3. Sempre comparo preços antes de comprar alguma coisa ou contratar um serviço e decido com base na pesquisa que fiz.

1	2	3	4	5	6	7	8	9	10

4. Estou rodeado(a) de pessoas que me estimulam a buscar sempre o melhor de mim, oferecendo bons conselhos, orientações sensatas e críticas construtivas.

1	2	3	4	5	6	7	8	9	10

5. Pratico o consumo consciente e resisto às compras por impulso, pois uso meu suado dinheiro com inteligência e planejamento.

1	2	3	4	5	6	7	8	9	10

6. Nunca faço parcelas sem antes me planejar. Só financio o que vai me fazer economizar ou ganhar mais dinheiro. Parcelar supérfluos nem pensar.

1	2	3	4	5	6	7	8	9	10

7. Invisto regularmente meu dinheiro porque sei que esse é o caminho para realizar minhas metas, das mais simples às mais ambiciosas. O dinheiro trabalha pra mim, não eu pra ele.

1	2	3	4	5	6	7	8	9	10

8. Estou sempre em busca de novos aprendizados, que podem vir por meio de livros, vídeos, cursos on-line e off-line – porque sei que podem turbinar a minha vida profissional e pessoal.

1	2	3	4	5	6	7	8	9	10

9. Além da minha renda "oficial", sou capaz de pensar em situações/ações/talentos que me proporcionem renda extra rapidamente.

1	2	3	4	5	6	7	8	9	10

10. Acompanho o noticiário econômico todos os dias. Isso me ajuda a cuidar melhor do meu dinheiro.

1	2	3	4	5	6	7	8	9	10

Respondeu tudo honestamente?

Ótimo! Confio em você. Mas, se quiser rever alguma resposta, esta é a hora. Vai que eu te espero.

(Nath assoviando.)

Voltou? Então é hora de refletir sobre as suas respostas. Com base nesta avaliação, como está a sua vida financeira HOJE? Um bom critério é olhar a nota que se repetiu com mais frequência. Outra possibilidade é calcular sua média, somando todas as notas e dividindo por dez. Melhorou? Piorou?

Olha, para mim, neste momento, tanto faz. O mais importante é que você tenha parado para pensar na forma como organiza (ou não) a sua vida financeira.

Agora, com a sua pontuação em mãos, defina qual nota você pretende atingir ao final dos 33 dias. Se você começou com uma nota 3, não fique sonhando com um 10... Isso seria impossível. Muita gente se frustra por criar uma expectativa irreal. Se a sua nota hoje é 3, chegar num 5 daqui a 33 dias será uma vitória gigantesca. Isso já seria quase dobrar a sua performance em pouco mais de um mês.

Nota atual	**Nota que desejo alcançar daqui a 33 dias**

Data: __/__/__

A não ser que você queira divulgar, ninguém precisa ficar sabendo que nota você se deu. Ao passar para a próxima página, você estará cruzando a fronteira que separa meninos de homens, meninas de mulheres.

Vamos?

DAQUI A 33 DIAS VOCÊ VAI QUERER TER COMEÇADO HOJE, ENTÃO COMECE LOGO.

Sempre fofa
Nath

DIA 01

/ /

PREPARA QUE AGORA É HORA...

Tempo: 30 minutos a 2h30

Não vire a página. Não queira saber hoje o que te espera amanhã.

Concentre-se no aqui e agora e mãos à obra. Reúna o material da desfudência:

Baixe no celular o aplicativo do seu banco ou da sua corretora. Não tem memória? Apague alguma coisa porque você vai precisar muito desses apps. Atenção às senhas. Se você for do tipo distraído, anote em algum lugar seguro, mas que você acesse com facilidade.

Baixe a planilha gratuita de controle financeiro do Me Poupe!, *usando o QR Code:*

Imprima o extrato dos últimos três meses da sua conta bancária. Se tiver mais de uma conta, imprima de todas.

Faça uma lista dos seus cartões de crédito e **imprima as faturas dos últimos três meses de cada um deles**.

Junte todas as contas que você precisará pagar nas próximas quatro semanas. Isso pode demandar uma busca pela casa – tudo bem, faz parte. Ah, nem tudo chegou ainda? Faça seu cadastro nos sites de cada fornecedor (luz, água, telefone, etc.) e pegue a via eletrônica com os valores atualizados.

Lembre-se de deixar à mão os boletos que vencerão nos próximos dias. Mas e as dívidas em atraso? E as cartas de cobrança? Não vamos mexer com elas ainda… Deixe essas fofas adormecidas por enquanto.

"Pronto, peguei tudo e até fiz uma pastinha com o nome 'Material de desfudência'. Acabei, Nath?"

Ainda não. A partir de hoje, você vai ter que anotar todos os seus gastos. O ideal, como já falei, é só comprar o que for absolutamente necessário. Não se esqueça de que você está de dieta financeira. Mas, se fizer qualquer despesa, registre. Tomar notas é essencial para a nossa estratégia de controle financeiro. Os próximos dias serão de contenção, mas também de muito aprendizado.

Tudo o que eu quero é que você preste muita atenção no dinheiro que sair e também no que entrar. Se já estiver fazendo renda extra, anote. Você pode escrever tudo neste guia ou, se preferir, tenha à mão um caderninho para o dia a dia. À noite, preencha aqui o total gasto (de acordo com o modelo) e o total ganho. Aproveite também para fazer as reflexões diárias que proponho.

Deixe seu material organizado e vá viver seu dia.

MEUS GASTOS DE HOJE

O quê	Quanto	Por quê	Onde	Como
EX.: LANCHE	R$ 7,00	FOME	PADARIA	DÉBITO
	R$			
	R$			
	R$			
	R$			
	R$			

Hoje eu fiz R$ .... de renda extra!

Dar esse primeiro passo foi…

....

....

DIA 02

_/_/

QUANTO VOCÊ GANHA? PARECE ÓBVIO, MAS NÃO É

Tempo: 1h30

Hoje tá bico, né? Eu só preciso que você descubra essa informação. Mas não é tão simples quanto parece. Você se surpreenderia com o número de pessoas que já me procuraram crentes de que ganhavam muito mal e de repente descobriram que ganhavam bem mais... Ou vice-versa, o que é muito preocupante.

Fique de olho nestes detalhes:

Se você tem um salário fixo, para o nosso programa de saneamento financeiro, o que interessa de verdade é o seu ganho líquido, isto é, aquilo que sobra depois de todos os descontos (imposto de renda, INSS, plano de saúde, etc.). Se, além do salário, você tem outras fontes de renda recorrentes, como aluguéis, vendas e comissões, anote também na tabela a seguir.

QUANTO EU GANHO?

Fonte de renda	Valor bruto	Descontos	Valor líquido
	R$	R$	R$
	R$	R$	R$
	R$	R$	R$
	R$	R$	R$

Ganho mensal R$ _____

32

Se você for autônomo, nada de inventar desculpinha, do tipo "Ah, mas meus rendimentos variam muito, não dá pra saber quanto eu ganho!"

Dá, sim! Ah, se dá!

Faça assim: sabe aqueles extratos dos últimos três meses que você juntou ontem? Localize e some tudo o que entrou, mês a mês. Agora, pegue o valor total de cada mês, some os ganhos obtidos nos três meses e divida por três. Pronto! Você já tem uma média mensal dos seus ganhos. Se você é autônomo, esse será o nosso número de trabalho daqui pra frente.

Outra maneira de levantar quanto ganha é somar quanto você recebeu de cada cliente mês a mês, calcular o total mensal e depois a média dos últimos três meses.

QUANTO EU GANHO? (AUTÔNOMO)

Receita	Mês 1	Mês 2	Mês 3
Cliente 1	R$	R$	R$
Cliente 2	R$	R$	R$
Cliente 3	R$	R$	R$
Total	R$	R$	R$

Ganho mensal médio R$ _____

Missão cumprida por hoje.

Fala sério: por enquanto tá fácil, né? Conselho da Nath: aproveita, porque não será sempre assim.

MEUS GASTOS DE HOJE

O quê	Quanto	Por quê	Onde	Como
	R$			
	R$			
	R$			
	R$			
	R$			

Hoje eu fiz R$ .... de renda extra!

Uma atitude que tomei hoje para sair da minha zona de conforto foi...

....
....
....
....

DIA 03

QUANTO VOCÊ GASTA?

Tempo: 3 a 4 horas

Que bom te ver de novo, esbanjando energia para nunca mais entrar no cheque especial, nunca mais rolar dívida de cartão, nunca mais pegar empréstimo com juros de desespero!

Ontem foi suave, mas digamos que hoje pode doer. Porque você vai entrar em contato com uma realidade que pode ser dura. Hoje você vai saber quanto gasta.

Já pega o extrato do banco, a fatura do cartão, os boletos e contas que levantou no **Dia 1**, respira fundo e vai! Você também vai precisar da planilha que baixou no primeiro dia. Não baixou? Última chance. De graça. Vou te dar de novo o *QR Code:*

A maioria de nós tem três tipos de contas a pagar:

1. **As fixas.** São aquelas que você paga todo mês e o valor não muda: aluguel, condomínio, boleto da faculdade ou da escola do filho, mensalidade da academia, plano de internet e de celular, plano de saúde, remédios de uso contínuo, etc.
2. **As variáveis.** Também aterrissam na sua vida todo mês, porém o valor muda de acordo com o seu consumo: água, luz e gás são bons exemplos. Se você cozinha em casa, levante seus gastos com supermercado/feira nos últimos três meses e tire a média. Para este guia, considere essa média.

3. **As eventuais.** São as que chegam uma vez por ano, mas chegam. IPTU, IPVA, seguro do carro, etc. Se tiver alguma despesa eventual vencendo este mês, você precisará incluí-la nos gastos.

Anote tudo na planilha que você baixou. Seja muito detalhista e esprema seu cérebro para ver se nada ficou de fora. Jogue todas as despesas do último mês na planilha sem medo de ser feliz. A própria planilha vai fazer a soma do estrago, digo, dos seus gastos. Se você preferir, anote tudo aqui.

Gastos fixos	Valor	Gastos Fixos	Valor
Aluguel/Prestação	R$	Plano de saúde	R$
Condomínio	R$	Remédio (uso contínuo)	R$
Celular	R$	Academia	R$
Internet	R$		R$
TV por assinatura	R$		R$

Gastos variáveis	Valor	Gastos variáveis	Valor
Supermercado	R$	Transporte	R$
Feira	R$	Combustível	R$
Restaurantes	R$	Cuidados pessoais	R$
Delivery	R$	Farmácia	R$
Água	R$	Vestuário	R$
Luz	R$		R$
Gás	R$		R$
	R$		R$

Gastos eventuais	Valor	Gastos eventuais	Valor
IPTU	R$	Matrícula escolar	R$
IPVA	R$		R$
Seguros	R$		R$
	R$		R$

Gasto mensal R$ _____

Calma. Não faça nada ainda com essa informação. Respire fundo. Amanhã a gente se encontra.

MEUS GASTOS DE HOJE

O quê	Quanto	Por quê	Onde	Como
	R$			
	R$			
	R$			
	R$			
	R$			
	R$			

Hoje eu fiz R$ .... de renda extra!

MOMENTO DESABAFO
Depois de ver quanto gasto, eu...

....
....
....
....
....

DIA 04

__/__/__

O QUE É ESSENCIAL?

Tempo: 1 hora

Olha... Não é que você veio?

Eu sempre soube que você era capaz de chegar até aqui! Espero que aguente firme até o final e não desista de você nem dos sonhos que ainda nem colocou no papel.

Hoje é um dia histórico porque você vai finalmente parar para pensar no que é essencial na sua vida.

Bora?

Sem olhar na planilha ou no seu extrato, faça uma lista de tudo o que é essencial pra você. Pense nos serviços, produtos e experiências sem os quais você não consegue viver. Boa tarefa e até amanhã!

Eu não consigo viver sem...

....
....
....
....
....
....

MEUS GASTOS DE HOJE

O quê	Quanto	Por quê	Onde	Como
	R$			
	R$			
	R$			
	R$			
	R$			
	R$			

Hoje eu fiz R$ .... de renda extra!

Meus pontos fortes para vencer esse desafio são...

....
....
....
....

DIA 05

/ /

CANETINHAS SUPERPODEROSAS

Tempo: 3 a 4 horas

Para a atividade de hoje, que é muito lúdica, você vai precisar de três canetinhas: uma verde, uma amarela e uma vermelha.

"Eu não tenho isso. Não era para não gastar nada? Não estou de dieta financeira? Melhor pular este dia, então."

Não me enrola. Invente o seu critério de acordo com o que tiver em casa. O importante é que você defina cores diferentes para:

- **Despesas essenciais (sugiro verde);**
- **Despesas importantes, mas que podem ser reduzidas (amarelo);**
- **Despesas que podem ser eliminadas (vermelho).**

Sabe aqueles extratos de conta corrente que você imprimiu lá no **Dia 1**? Sabe as faturas do cartão? Pegue-os e comece a trabalhar: linha por linha, pinte de verde as despesas que estão diretamente relacionadas ao que você listou ontem como "essencial". Ou seja, se você colocou na sua lista que morar bem é essencial, grife com a canetinha verde as despesas essenciais com a casa.

Muito cuidado para não se sabotar. Uma coisa é comer, outra é pedir comida pelo aplicativo todo dia.

Da mesma forma, pinte de amarelo as despesas que você pode diminuir e de vermelho as que dá para cortar sem dó.

Vai ter dúvida? Vai, claro. A raiz escura que você retoca todo mês é essencial? Pra você pode ser, mas será que cabe no orçamento? É o que a gente vai ver daqui a alguns dias. Já vou logo perguntando (mas não precisa responder agora): será que você ganha o suficiente para ser loira, já que isso exige uma manutenção frequente e cara?

Enquanto estiver categorizando as suas despesas, várias fichas vão cair.

"Mas, Nath, como é que eu vou saber o que dá para reduzir?"

Fácil: tudo.

"Tudo?"

Tudo.

Se você mora de aluguel, pode considerar negociar o valor pago. Se tem um financiamento, pode renegociar a sua dívida. Se gastou 700 reais em alimentação mês passado, pode reduzir pra 500 reais fazendo escolhas mais inteligentes. Se gastou 300 reais só em presentes ou compras por impulso, pode reduzir o valor gasto com presentes e acabar com compras por impulso... Sendo assim, tudo o que é essencial também pode ser reduzido. E tudo o que é eliminável precisa ser eliminado.

Para se convencer, faça a soma de todos os gastos grifados em vermelho no mês passado.

Gastos desnecessários no mês R$ _____

Agora multiplique por 12:

Gastos desnecessários em um ano R$ _____

Esse valor é quanto você terá jogado fora daqui a 12 meses se não parar de palhaçada com o seu dinheiro agora.

Viu como esse exercício funciona?

Talvez você esteja pê da vida com o que anda fazendo. Esmurre uma almofada. Faça um chá. Ligue para um amigo. Saia para dar um passeio. Depois de hoje, você precisa.

Mas o caminho é esse. Comece agora a reduzir drasticamente suas despesas. Fique firme. Ninguém solta a mão de ninguém.

MEUS GASTOS DE HOJE

O quê	Quanto	Por quê	Onde	Como
	R$			
	R$			
	R$			
	R$			
	R$			
	R$			

Hoje eu fiz R$ _____ de renda extra!

QUAL EMOJI DESCREVE COMO ESTOU ME SENTINDO HOJE?

42

QUANTO VOCÊ DEVE?

Tempo: 1 hora a 5 dias
(depende do tamanho da bola de neve)

AVISO: se você tem parcelas no cartão de crédito a vencer, consignado que cai direto no seu salário, algum tipo de financiamento, se está no cheque especial, pagando o Fies (Fundo de Financiamento Estudantil) ou fez qualquer outra compra parcelada... você tem uma dívida.

Se não tem nada a vencer a não ser os boletos das contas de consumo do mês passado ou as despesas eventuais que podem cair este mês, você pode tirar o dia de folga!

Este é um marco no nosso jogo da riqueza. O dia que separa meninos de homens, meninas de mulheres. (Sei que eu já escrevi isso antes, mas gostei tanto que repeti.)

Hoje você vai descobrir quanto deve.

Talvez você precise de mais tempo para concluir a atividade, mas o importante é começar. Vamos avaliando juntos. Fazer a selfie do endividamento é coisa pra gente forte, porque, muitas vezes, a dívida que enxergamos é só a pontinha do iceberg.

Para te ajudar, montei uma tabelinha. A maior dificuldade é preencher todos os campos, mas vou te ensinar passo a passo. Vamos lá.

Dívida	Casa	Carro	Consignado	Cheque especial	Outra
Valor inicial	R$	R$	R$	R$	R$
Quanto já pagou	R$	R$	R$	R$	R$
Valor da parcela	R$	R$	R$	R$	R$
Valor atual com juros	R$	R$	R$	R$	R$
Valor atual sem juros	R$	R$	R$	R$	R$
Taxa de juros	%	%	%	%	%
CET	%	%	%	%	%

Digamos que você tenha financiado a sua casa. Na primeira célula, você vai colocar o valor da dívida quando adquiriu o financiamento. Na segunda, quanto pagou até agora e, a seguir, o valor atual da parcela. Em geral, esses valores constam do extrato do financiamento que você recebe. As demais informações você terá que pedir ao banco ou à financeira: o valor atual da dívida, com juros e sem juros, ou seja, quanto teria que desembolsar para quitar a dívida total **hoje**. E não menos importante: a taxa de juros e o custo efetivo total, o famoso CET.

O quê, você nunca ouviu falar em CET? Calma, isso é normal (infelizmente). CET é o custo total do dinheiro que você pegou emprestado. Não só de juros vivem os bancos. Esses sabem ganhar dinheiro! Quando você pega dinheiro emprestado, também paga seguro, tarifas de administração, impostos (em alguns casos), etc. Por isso, quando vir alguma promoção de financiamento com juros superbaixos, desconfie. Pode ser que o CET deixe a dívida muito mais cara.

Você deve preencher do mesmo modo os dados das outras dívidas que tiver, por exemplo com carro, empréstimo consignado e cheque especial.

Repita comigo bem alto: **"Cheque especial não é salário, é fria!"**

O cheque especial é um dinheiro que não é seu mas que o banco deixa à sua disposição para o momento em que você precisar. Sabe quando você vai usar cheque especial depois desses 33 dias de convívio diário comigo?

Nunca. E por dois motivos:

1. Você terá noção de quanto isso está te empobrecendo.
2. Você terá dinheiro para pagar todas as suas contas.

É fácil pegar dinheiro do cheque especial, mas difícil de pagar porque tem juros exorbitantes. Apesar de estarmos vivendo o período de taxa básica de juros mais baixa da nossa história, alguns bancos ainda cobram 13% ao mês no cheque especial. Ou seja: se você ficar com 500 reais negativos no banco e entrar no especial, em 12 meses terá uma dívida de 2.167 reais caso não pague o que deve.

Se você está sentindo na pele o peso dessa ou de outras dívidas, aprenderá a renegociá-las no **Dia 19**, buscando chegar o mais próximo possível do valor que aparece na quinta linha da tabela: o da dívida atual sem juros.

"Ai, Nath, tô achando muito complicado! Precisa mesmo fazer tudo isso?"

Só quero lembrar uma coisa: você se comprometeu comigo. Ok, pode até pular este exercício e ter um resultado meia-boca, mas depois não vá sair por aí dizendo que o método não funciona. Quem fez tudo certo tinha dinheiro investido e a vida em ordem no 33º dia.

"Nossa, Nath! Que paulada. Essa doeu!"
De nada!

Se você está reclamando assim é porque já entendeu que descobrir cada uma dessas informações nem sempre é fácil. Aliás, pode ser bem difícil: é o mundo querendo perpetuar a sua condição de endividado.

Para os bancos e as financeiras, é muito melhor que você continue ferrado pagando juros extorsivos e enriquecendo os banqueiros e seus acionistas. Por isso, prepare-se: você precisará ser resiliente. Não vale desistir na primeira informação que não vier de mão beijada.

Em 2019, quando fiz o reality show na TV aberta e no meu canal no YouTube, o Me Poupe!, precisei levantar a situação de endividamento dos 12 participantes para então criar uma estratégia de salvação.

No reality eu tinha uma equipe de planejadores financeiros trabalhando sob a minha supervisão – e mesmo assim levávamos em média dois dias para obter todas as informações necessárias para cada um dos futuros desfudidos. Ou seja, eu sei que é difícil e foi por isso que fiz este guia. Se ele existisse naquela época, nosso trabalho teria sido muito mais fácil. Sem falar em dúvidas assim, que surgiam o tempo inteiro:

"Ah, mas e aquela dívida do cartão de crédito que eu parei de pagar em 2015?"

Pois é. Ela não desapareceu milagrosamente. Tem que ir atrás, apurar o valor atual, os juros e anotar tudo.

Eu tenho uma dica maravilhosa que vai te ajudar. O Serasa, empresa de análise de dados para quem busca e oferece crédito, tem uma ferramenta superútil chamada Limpa Nome. Se você entrar em **www.serasaconsumidor.com.br/limpa-nome-online/** e digitar o seu CPF, vai descobrir dívidas que nem lembrava mais que tinha e (melhor ainda) promoções para quitá-las em condições muito mais favoráveis. Eu fiz isso para os participantes do reality. Funcionou! Conseguimos altos descontos para pagar dívidas antigas que já eram consideradas "fundo perdido" pelas instituições.

Depois de ter acesso aos dados que você vai encontrar fazendo este exercício, uma das minhas mentoradas no reality

Me Poupe! conseguiu reduzir uma dívida de 17 mil reais para 2.400 reais.

Já reuniu todos os dados? Agora volte lá na página 44 e preencha a tabela. Depois, faça as contas e anote aqui o tamanho da encrenca.

Dívida total R$ ....

Você está no caminho certo. Não desanime. Amanhã a gente continua.

MEUS GASTOS DE HOJE

O quê	Quanto	Por quê	Onde	Como
	R$			
	R$			
	R$			
	R$			
	R$			
	R$			

Hoje eu fiz R$ .... **de renda extra!**

Três dificuldades que enfrentei hoje:

1. ....
2. ....
3. ....

Três soluções que posso tentar amanhã:

1. ....
2. ....
3. ....

DIA 07

QUANTO VOCÊ INVESTE?

Tempo: 5 minutos

Opa! Você estranhou o tempo curtinho que previ para você cumprir a missão de hoje? É que, no fundo, eu acredito que você ainda não está investindo.

Se eu estiver errada (tomara que sim!), será preciso reservar mais tempo para esta tarefa.

Tempo: 1 hora

Uma pesquisa realizada em 2020 pelo Serviço de Proteção ao Crédito (SPC Brasil) e pela Confederação Nacional de Dirigentes Lojistas (CNDL) revelou que mais da metade dos brasileiros (52,1%) não tem o hábito de poupar.

Outro levantamento do SPC com consumidores brasileiros apontou que 54% dos entrevistados não tinham conseguido poupar nem um centavo no mês anterior. Ou seja, se você não investe... está com a maioria.

Este guia vai mudar isso.

Por que mais da metade dos brasileiros não investe?

Porque não sobra dinheiro. Esse é o principal motivo indicado pelas pessoas e um ponto muito importante para o Me Poupe!. Vamos tratar muito disso aqui e eu garanto: se você fizer tudo direitinho, vai sobrar dinheiro no final do seu mês, em vez de sobrar mês no final do seu dinheiro!

Mesmo quando sobra dinheiro, a maioria das pessoas aplica em produtos financeiros que não são investimentos. Mas vamos por partes.

Todos os dias, ainda hoje, tem alguém que me pergunta:

"Nath, sua linda, é melhor poupar ou investir?"

Vou responder e sempre espero que seja a última vez (SQN): poupar e investir são duas etapas do processo de enriquecimento do ser humano. Poupamos para investir. Poupar é importante, mas só quando investimos transformamos nosso dinheiro magrelinho em dinheiro parrudo.

Isso acontece graças à ação do Juro Composto, meu filho amado, o acontecimento que mudou minha vida! Pra você que está chegando agora ao Me Poupe!, juros compostos são os juros que rendem sobre juros. Ficou na mesma? Vou te dar um exemplo:

Joaquina aplicou 1.000 reais em um fundo que rende 0,3% ao mês.

No final do mês, Joaquina terá 1.003 reais.

No mês seguinte, aquele 0,3% valerá não apenas para os 1.000 reais iniciais, mas para os 1.003 que estão na aplicação. Ou seja, no segundo mês, Joaquina terá 1.006,009 reais. E assim por diante.

Isso é Juro Composto. Parece pouco, mas imagina a bola de neve num período mais longo de aplicação!

Se a Joaquina deixar os 1.000 reais dela rendendo 0,3% ao mês durante 10 anos, terá ao final desse período 1.432,56 reais – um ganho de 432,56 de juros compostos.

TESTE: VOCÊ SABE INVESTIR?

O primeiro passo é assinalar, entre as alternativas abaixo, aquelas que são investimento:

1. **Ações** de empresas comercializadas em Bolsa de Valores
2. **CDB** (Certificado de Depósito Bancário)
3. **Consórcio**
4. **FGTS**
5. **Financiamento** da casa própria
6. **Poupança**
7. **Previdência privada** da empresa
8. **Renda fixa**
9. **Tesouro Direto**
10. **Título de capitalização**

Agora, um desafio radical. Você consegue relacionar os itens acima com as explicações a seguir? Coloque ao lado do texto o número do investimento ou roubada a que ele se refere. A solução está na página 168.

( ) Não é investimento, é uma cilada. É um tipo de sorteio com o benefício de receber de volta uma parte do valor que você "apostou". Infelizmente, muitos bancos vendem esse produto como se fosse investimento porque todos os meses um valor é retirado da sua conta, obrigando você a poupar na esperança de ser sorteado e ganhar algum prêmio. Mas não se iluda: quem está ganhando dinheiro mesmo é o banco. Se você tem, precisa se desfazer com urgência. Veja mais informações no **Dia 24**.

( ) É o investimento mais amado do Brasil porque é fácil de colocar e de tirar. Simples, mas péssimo em rentabilidade, principalmente para depósitos feitos após maio de 2012. Se eu pego aluno meu com dinheiro lá, é melhor sair da minha frente.

( ) Nesta categoria de investimentos, você empresta dinheiro a uma instituição financeira, empresa ou governo e recebe juros por isso.

( ) Não é investimento de jeito nenhum! As taxas de administração são altíssimas, há reajustes anuais e você ainda tem que torcer para ser contemplado. Fuja de todas as modalidades! Descubra como se livrar desta cilada no **Dia 24**.

( ) Muita gente se confunde e acredita que é investimento porque está "comprando algo que é seu". Mas não se iluda. Ao assinar um contrato com esse tipo de produto financeiro, você está assumindo uma dívida de décadas e, se não pagar, o banco toma o bem de você.

( ) É um investimento superacessível e que está cada vez mais popular pela segurança que oferece, pela facilidade na hora de investir e pelo retorno acima da poupança. Nele, você empresta dinheiro ao governo, que te devolve com juros.

( ) Aqui você empresta dinheiro para os bancos, que te devolvem em um prazo determinado com juros compostos acumulados.

( ) É um investimento sem garantias e depende do apetite a risco de quem está investindo. Pode dar muito dinheiro, mas, sem o estudo adequado, também pode fazer você perder muito. Nele, você compra um pedaço de uma empresa de capital aberto na Bolsa de Valores. Se a empresa vai bem e dá lucro, você sai ganhando. Se vai mal... Aqui estamos no terreno da renda variável, em que é preciso ter informação e sangue-frio. É o tipo de investimento que mais sofre com instabilidades políticas, econômicas ou crises inesperadas, como a pandemia de Covid-19. Por outro lado, em tempos de Selic baixa, é onde as chances de fazer dinheiro são maiores.

( ) É um depósito compulsório que o empregador precisa fazer para o empregado e que fica sob a guarda do governo até a pessoa ser demitida sem justa causa ou se aposentar (existem outras regras para ter acesso a esse dinheiro, como a compra de um imóvel ou o saque aniversário, além de eventuais permissões que o governo dá para aquecer a economia). A rentabilidade é de 3% ao ano mais TR (que anda zerada), porém, com a decisão de compartilhar os lucros do sistema, este programa andou melhorzinho.

( ) É investimento e pode ser muito bom, principalmente se a empresa deposita nessa conta o mesmo que você, dobrando o seu depósito mensal. Quando o "bolo" é bem gerido, pode ter rentabilidade acima da média do mercado.

Depois desse jogo emocionante, você deve ter notado que existem mais investimentos do que você imaginava. Dica da Nath: quanto melhores os seus investimentos, mais rápido o seu dinheiro vai crescer.

Agora, vamos ver seu grau de intimidade com o Juro Composto. Abra o aplicativo do seu banco ou da sua corretora, aquele que você baixou no Dia 1 do nosso guia, e preencha a tabela a seguir.

Investimento	Data de início	Rentabilidade	Valor atual
Poupança	/ /	%	R$
Fundos de investimento	/ /	%	R$
Tesouro Direto	/ /	%	R$
CDBs	/ /	%	R$
Ações	/ /	%	R$
LCIs	/ /	%	R$
Previdência privada	/ /	%	R$
Outros	/ /	%	R$

Depois, some todos os valores e anote no espaço a seguir:

Total investido R$ _____

Cri, cri, cri.

Não tem nada?

Tudo bem, não chore nem jogue a toalha. Estamos aqui para mudar esse quadro.

Se já tem uma reserva, parabéns! Vamos trabalhar para aumentá-la!

MEUS GASTOS DE HOJE

O quê	Quanto	Por quê	Onde	Como
	R$			
	R$			
	R$			
	R$			
	R$			
	R$			

Hoje eu fiz R$ _____ de renda extra!

NUMA ESCALA DE 1 A 10, COMO ANDA:

Meu foco

1	2	3	4	5	6	7	8	9	10

Minha motivação

1	2	3	4	5	6	7	8	9	10

Meu desempenho

1	2	3	4	5	6	7	8	9	10

Minha coragem

1	2	3	4	5	6	7	8	9	10

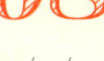

SELFIE DA RIQUEZA
Tempo: 10 minutos

NOTÍCIA BOA: a pior parte já passou e agora este guia vai ficar cada dia mais divertido!
NOTÍCIA RUIM: se você não cumpriu os passos dos sete primeiros dias, vai ter que fazer tudo agora, não tem jeito de fugir.

Hoje você só tem que preencher os quadrinhos a seguir com as informações que juntou nos dias anteriores. E olhar para elas. Longamente. Refletindo. Aqui está a sua verdadeira selfie financeira. Ela pode não ser bonita, mas é real. O mais importante é que você está olhando (talvez pela primeira vez) para a sua personalidade financeira, a pessoa que você é quando se trata de dinheiro. É a partir daqui que a mudança começa pra valer.

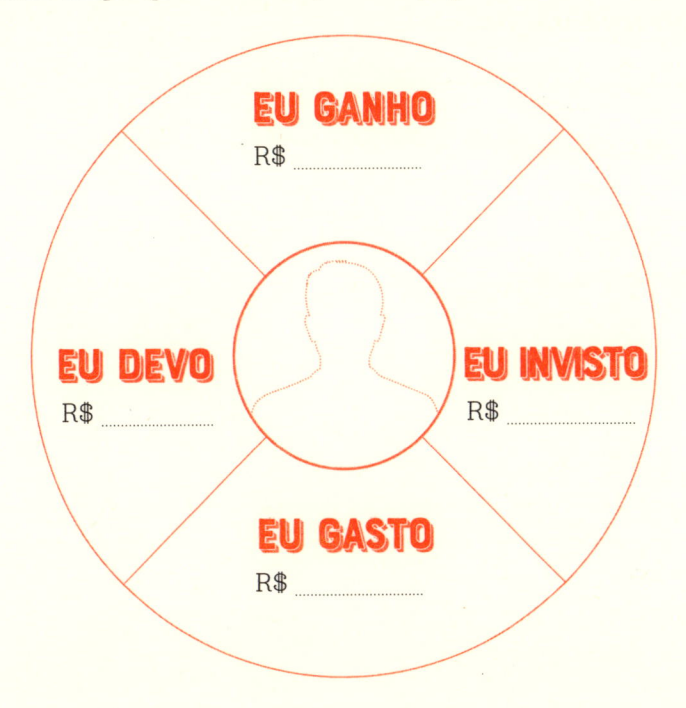

EU GANHO R$ ....

EU DEVO R$ ....

EU INVISTO R$ ....

EU GASTO R$ ....

Pode ser difícil entender isso hoje, diante de um retrato tão revelador, mas uma coisa eu posso garantir: você já entrou na trilha da riqueza.

MEUS GASTOS DE HOJE

O quê	Quanto	Por quê	Onde	Como
	R$			
	R$			
	R$			
	R$			
	R$			
	R$			

Hoje eu fiz R$ .... de renda extra!

Uma mensagem para a pessoa que serei quando terminar este guia:

....
....
....
....

QUAIS SÃO OS SEUS VALORES?

Tempo: o resto da vida (calma, eu já explico)

Estamos num ponto deste guia em que você precisará tomar grandes decisões (chegar até aqui já foi uma delas). E, diante de uma encruzilhada, é mais fácil escolher que caminho seguir quando a gente se conhece bem e sabe o que deseja da vida.

Cada um tem os próprios valores. Infelizmente, quando somos jovens, em geral não perdemos muito tempo pensando nisso. Só aprendemos mesmo a identificá-los depois de "velhos". Para mim, por exemplo, a liberdade é o valor mais importante e, hoje, entendo que era por isso que eu sonhava com um carro desde menina – para ser livre, independente, ir aonde quisesse. Na minha lista, logo atrás da liberdade vêm o senso de justiça e a necessidade de reconhecimento.

Não sei quais são os seus valores, você é que vai ter que me dizer. Segurança? Status? Respeito? Amor?

"Nath, não tô entendendo… Aonde é que a gente vai chegar com isso?"

Eita, povo apressado! Você confia em mim ou não?

Acredite: sem este exercício nada vai fazer sentido daqui pra frente.

Na próxima página, você encontrará um quadro para preencher. Na coluna da esquerda, eu coloquei os meus valores por ordem de relevância. Agora é a sua vez: anote os seus na coluna da direita, começando pelo mais importante.

CADA UM TEM SEU VALOR

Valores da Nath	Meus valores
Liberdade	
Senso de justiça	
Necessidade de reconhecimento	
Amor	
Segurança	
Respeito	
Solidariedade	

Tire uma foto deste quadro e compartilhe nas redes sociais com a hashtag **#ValoresMePoupe**. Aproveite para ver as listas dos outros. O que você achou? Não é curioso observar como as pessoas encaram o mundo de forma diferente e o que é mais importante para alguém pode não ser para você?

Conhecer os seus valores é essencial para a sua relação com o dinheiro e, consequentemente, para as decisões que você vai ter que tomar nos próximos dias. Pense comigo: se a liberdade é um valor inegociável pra mim, faz sentido eu manter aquele sonho de que "só com uma casa própria eu vou ser feliz"?

Já te respondo: não.

Mas, para uma pessoa cujo valor principal é a segurança, talvez esse sonho faça sentido. "Ah, agora entendi!"

Entendeu mesmo? Este deve ser um exercício constante, que você deve fazer hoje e pelo resto da vida. A gente muda ao longo do tempo e, às vezes, a nossa ordem de prioridades também. O que é essencial hoje pode não ser amanhã. Se você não tiver consciência do que realmente importa para você, pode comprometer não só a sua vida financeira, mas a sua felicidade.

Peguei pesado, mas é para o seu bem.

MEUS GASTOS DE HOJE

O quê	Quanto	Por quê	Onde	Como
	R$			
	R$			
	R$			
	R$			
	R$			
	R$			

Hoje eu fiz R$ .... de renda extra!

Estou vivendo de acordo com meus valores?

....
....
....
....
....

DIA 10

/ /

SONHE GRANDE (PORQUE SONHAR GRANDE E PEQUENO DÁ O MESMO TRABALHO)

Tempo: o dia inteiro

"Musa dos endividados, como é que você propõe uma atividade de um dia inteiro quando eu já estou ralando dobrado, no trabalho e para fazer renda extra?"

Calma. CALMA. Eu vou te fazer uma pergunta e quero que ela fique ecoando lá no fundo do seu cérebro o dia inteiro, até você se sentir à vontade para escrever aqui o resultado das suas fabulações. Esse é o espírito da coisa.

Estamos caminhando juntos há 10 dias e você já fez muita coisa que doeu. Doeu encarar a sua selfie financeira. Doeu ver quanto dinheiro foi pelo ralo sem que você se desse conta. Mas, hoje, homens e mulheres (sim, vocês foram promovidos, hehe), é dia de sonhar. Sonhar com o que você quer da vida, agora que seus valores estão mais claros.

Até você começar a preencher este guia, parecia simplesmente impossível realizar seus sonhos. Fazer aquele curso espetacular na Califórnia. Ter uma reserva para dar um pé na bunda do seu chefe. Cursar a faculdade que você quer. Comprar o carro dos seus sonhos sem o pesadelo das parcelas. Quitar todas as dívidas. Abrir uma empresa tradicional ou uma startup. Mudar de cidade. Fazer uma linda festa de casamento. Ter um filho. O que você quiser.

Escreva aqui quais são os seus sonhos mais selvagens. Aqueles que você não conta pra ninguém e que às vezes não se permite sonhar por achar que "é demais pra mim". O papel não vai te julgar. Aproveita!

SONHANDO DE OLHOS ABERTOS

....
....
....
....

MEUS GASTOS DE HOJE

O quê	Quanto	Por quê	Onde	Como
	R$			
	R$			
	R$			
	R$			
	R$			
	R$			

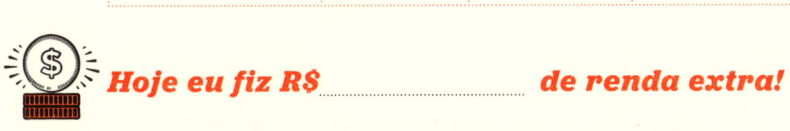

Hoje eu fiz R$ .... **de renda extra!**

Uma palavra que me define:

....

DIA 11

/ /

TRANSFORMANDO SONHOS EM METAS

Tempo: 1 a 5 horas

Sonhou? Agora é hora de transformar esses sonhos em metinhas, metas e metonas.

METINHAS: desejos de curto prazo, para realizar entre um mês e um ano. Sabe aquela roupa que você comprou por impulso porque "precisava demais" ou o presente de Dia das Mães que você teve que parcelar porque não tinha dinheiro para pagar à vista e com desconto? Então... deveriam ter entrado aqui.

METAS: desejos de médio prazo, de um ano a três anos. Aqui entram coisas mais caras, como uma viagem, uma moto, um casamento... Tudo aquilo que exige mais planejamento e dinheiro para se concretizar.

METONAS: desejos de longo prazo, acima de três anos. Para realizá-los, você precisará de mais tempo para juntar dinheiro, terá que investir mais e se planejar para comprar à vista e com desconto.

Muita calma nessa hora: não é porque você vai colocar os seus sonhos no papel que aparecerá um gênio e transformará todos eles em realidade. Essa coisa de esperar pelo gênio da lâmpada ou pelo bilhete premiado da Mega-Sena só existe no mundo comum. No mundo extraordinário para onde eu quero te levar, as pessoas transformam os sonhos em metas e as metas em realidade.

"Nossa, Nath, esse mundo extraordinário tá me parecendo bem melhor que o mundo comum... já posso entrar nele?"

Vamos ver. Marque no quadro a seguir as frases que melhor definem sua vida financeira atual:

Mundo comum

( ) Não consigo juntar dinheiro.

( ) Ganho mal.

( ) Não tenho oportunidades.

( ) Não tenho dinheiro para estudar.

( ) Parcelo tudo o que posso.

( ) Vivo apenas o hoje porque não sei se vai ter amanhã.

( ) Consumo hoje e rezo para ter dinheiro amanhã.

( ) Na internet, prefiro ver vídeos engraçados a buscar cursos gratuitos.

( ) Pago tarifas bancárias sem saber que não preciso pagar.

( ) Não negocio salário.

( ) Reclamo da vida que tenho, mas não acho possível ter a vida que gostaria.

Mundo extraordinário

( ) Invisto dinheiro.

( ) Faço renda extra.

( ) Crio oportunidades.

( ) Estudo de graça.

( ) Ganho primeiro, invisto e compro depois.

( ) Planejo tudo o que quero.

( ) Consumo apenas o essencial.

( ) Uso a tecnologia para aprender e ganhar mais dinheiro.

( ) Não pago pelo que posso ter de graça.

( ) Negocio salário e aumentos porque sei gerar mais valor.

( ) Decido a vida que quero ter e crio um plano para conquistá-la.

Pode ser que você ainda esteja com os dois pés no mundo comum ou talvez tenha mais características do mundo extraordinário. Quem sabe esteja na estrada entre os dois mundos? Tudo bem se ainda tiver dúvidas. O importante é que agora você sabe que existe um mundo diferente e que, para fazer parte dele, só precisa seguir os próximos passos.

O mais provável neste estágio é que você ainda tenha uma boa caminhada para chegar aonde eu estou. Você chegará aqui com o dinheiro que poupa e investe hoje para você amanhã. Você não adora um boleto? Pois é como um boleto que você paga, com a diferença de que o(a) beneficiário(a) é você mesmo(a) daqui a um tempo.

META NÃO É SONHO.

SONHO É ASSIM: "Eu ainda vou conhecer a Chapada dos Veadeiros!"

META É ASSIM: "No ano que vem, nas minhas férias, eu vou conhecer a Chapada dos Veadeiros. Essa viagem custa cerca de 2 mil reais, e eu vou juntar 165 reais por mês durante 12 meses, para pagar à vista e voltar da Chapada sem dívidas."

Meta inclui saber quanto custa, quando será possível realizá-la e como juntar dinheiro e investir para que realmente aconteça. Ficou clara a diferença? Ótimo! Porque, para cada uma das suas metas, você terá que fazer esse exercício. É a chave para a meta sair do papel e virar realidade.

Escolha os sonhos que você está transformando agora em metas. Na primeira célula das três tabelas da próxima página, escreva qual sonho corresponde àquela metinha, meta ou metona. Nas células seguintes, quando pretende realizá-lo, quanto custará (pesquise preços na internet), quanto será preciso juntar por mês (sem contar com a ajudinha dos rendimentos de um bom investimento) e por que ele é tão importante pra você.

	Metinha 1	Metinha 2	Metinha 3
Sonho			
Quando quero realizar			
Quanto custa	R$	R$	R$
Quanto preciso poupar por mês	R$	R$	R$
Por que é importante			

	Meta 1	Meta 2	Meta 3
Sonho			
Quando quero realizar			
Quanto custa	R$	R$	R$
Quanto preciso poupar por mês	R$	R$	R$
Por que é importante			

	Metona 1	Metona 2	Metona 3
Sonho			
Quando quero realizar			
Quanto custa	R$	R$	R$
Quanto preciso poupar por mês	R$	R$	R$
Por que é importante			

Se você tiver muitas metas ao mesmo tempo, vai demorar mais para alcançá-las. Em contrapartida, se trabalhar com apenas uma ou duas de cada vez, vai atingir seus objetivos mais rápido.

Tenha isso em mente ao fazer seu planejamento financeiro. E, quando começar a poupar e investir para alcançar suas metas, você verá que vai levar menos tempo do que imagina, porque contará com o empurrãozinho do Juro Composto.

Tamo junto! Ter metas vai tornar o processo menos sofrido porque você vai saber que tem algo incrível pela frente. Planeje como vai realizá-las e cumpra o que planejou.

MEUS GASTOS DE HOJE

O quê	Quanto	Por quê	Onde	Como
	R$			
	R$			
	R$			
	R$			
	R$			
	R$			

Hoje eu fiz R$ .... de renda extra!

VERDADEIRO (V) OU FALSO (F)?

( ) Hoje eu me sinto mais perto dos meus sonhos do que ontem.

Por quê?

....
....
....
....

66

A MARAVILHOSA FÓRMULA DO 70/30

Tempo: 2 horas

Nosso dia começa com uma teoria fundamental para o sucesso da metodologia que eu criei. Ela é revolucionária. A mudança na sua vida começa por ela.

Vamos imaginar que você ganhe 3 mil reais líquidos, ou seja, depois de todos os descontos, essa é a quantia que cai na sua conta. Caso seja autônomo, considere que essa é a sua renda média dos últimos três meses. É com esse valor que trabalharemos para você entender melhor o método 70/30.

Ele consiste em destinar 70% do que você ganha para cobrir os seus custos no presente e 30% para garantir seu futuro.

Lembra da regrinha de três, aquela que você aprendeu na escola? É ela que vamos aplicar aqui. Se 3 mil reais correspondem a 100% da sua renda, temos que calcular os 70% que serão destinados a seus gastos atuais.

Reais	%
3.000	100
X	70

$$X = \frac{3.000 \times 70}{100}$$

$$X = \frac{210.000}{100}$$

$$X = 2.100 \text{ reais}$$

É isso mesmo que você está pensando: segundo a minha teoria de enriquecimento lícito tantas vezes testada e comprovada, se você ganha 3 mil reais, todos os seus gastos com o presente não deveriam exceder 2.100 reais. Isso já inclui parcelas adquiridas e todos os boletos que você paga para desfrutar do que tem hoje.

Os 900 reais restantes, que equivalem a 30% da sua renda, deveriam ser destinados a investimentos capazes de multiplicar o seu dinheiro para que você possa comprar o que quiser sem precisar parcelar nada. Vale tanto para uma calça jeans quanto para sonhos de consumo mais caros e de longo prazo, como a compra de um carro ou uma casa.

"Nath, isso é loucura! Isso não é possível na minha realidade. Você tava indo superbem como autora até agora... Que decepção."

Ah! Talvez eu não tenha dito antes, mas eu leio mentes.

Eu sei que isso passou pela sua cabeça porque é o que acontece com todas as pessoas que ainda habitam o mundo comum – sim, aquele em que ninguém tem nada sem um boleto para chamar de seu. Acontece que quando você aceitou o meu desafio de 33 dias e começou a organizar a sua vida financeira, recebeu um bilhete para entrar no mundo extraordinário, lembra?

AGORA PRESTE ATENÇÃO: mesmo os 70 do 70/30 precisam ser distribuídos segundo um critério que eu desenvolvi e proponho nos meus cursos e vídeos. (Confira os cursos disponíveis em www.mepoupemais.com.br) É uma sacada (modéstia à parte) que está desfudendo a vida de milhares de brasileiros desde 2015.

A REVOLUÇÃO DO 70/30

Dinheiro que você destina ao HOJE:

	55% para os gastos essenciais
70%	**5%** para educação complementar
	10% para gastar com o que quiser (se estiver no azul) ou para pagar dívidas

Dinheiro que você destina ao AMANHÃ:

	20% para metas, metinhas e metonas
30%	**10%** para sua aposentadoria ou independência financeira

Agora vamos analisar item por item a situação de quem ganha 3 mil reais. O primeiro passo é destinar 55% do salário, ou seja, 1.650 reais, aos gastos essenciais, tudo aquilo que você enquadra na categoria "não consigo viver sem" – e que varia de pessoa para pessoa. Se você não vive sem academia, é aqui que entra esse custo. Parcela do carro, financiamento da casa, plano de saúde (se é você quem paga, e não a empresa), contas de água, luz e gás... é tudo neste balaio.

Como falamos, 5%, ou seja, 150 reais, devem ser investidos em educação. Aqui não se trata de faculdade (que deve entrar nos gastos essenciais), mas de cursos que vão fazer diferença no seu trabalho, livros importantes, etc. Quando fiz o reality na Band, pouca gente usou esse dinheiro. Uma pena. Quando investimos em educação, nos qualificamos para melhores oportunidades profissionais.

E 10%, ou seja, 300 reais, são para você gastar como quiser, sem dar satisfação para ninguém. Isso se você não tiver dívidas. Se tiver, use este dinheiro para pagá-las. E, com isso, fechamos os gastos atuais.

Agora, para os gastos do futuro, 20%, ou 600 reais, devem compor o fundo para o cumprimento das suas metas, metinhas e metonas, e 10%, ou seja, 300 reais, para a sua independência financeira ou aposentadoria (fora do INSS, a previdência do governo, que está cada vez mais ameaçada).

Agora que você entendeu a teoria, é hora de partir para a ação. Primeiro, preencha o quadro a seguir:

MINHA REVOLUÇÃO 70/30

Renda mensal líquida: R$ _____

Dinheiro que você destina ao HOJE:

	55% para os gastos essenciais	R$
70%	**5%** para educação complementar	R$
	10% para gastar com o que quiser (se estiver no azul) ou para pagar dívidas	R$

Dinheiro que você destina ao AMANHÃ:

	20% para metas, metinhas e metonas	R$
30%	**10%** para sua aposentadoria ou independência financeira	R$

Olhe para os números acima e me diga com sinceridade: seus gastos essenciais cabem em 55% do que você ganha? Se não couberem, você já entrou em uma zona perigosa.

Eu conheço duas maneiras de resolver esse problema:
1. Enxugando seus gastos essenciais até a soma deles chegar a 55% dos seus ganhos.
2. Ganhando mais para que a soma dos seus gastos essenciais corresponda a 55% do que você recebe.

"Para tudo, minha musa que brilha até nas neves da Suíça! O item 1 eu entendi, mas no 2 estou boiando."

Vou explicar.

Sua renda é de 3 mil reais, mas só com despesas essenciais você consome 2.400. Isso é bem mais do que os 55%, certo? Se você acha que não dá para enxugar nada, precisa fazer com que 2.400 reais correspondam a 55% da sua renda líquida. Ou seja, se não consegue diminuir o gasto, tem que aumentar a renda.

Vamos de novo para a regra de três.

Se 2.400 reais devem corresponder a 55%, qual é o X (a renda) que equivale a 100%?

Reais	%
2.400	55
X	100

$$X = \frac{2.400 \times 100}{55}$$

$$X = \frac{240.000}{55}$$

$$X = 4.363,63 \text{ reais}$$

Isso mesmo: você precisa de uma renda líquida de 4.363,63 reais. Então, se você ganha 3 mil reais, precisa de 1.363,63 a mais para que aqueles 2.400 que gasta só com despesas essenciais correspondam a 55% da sua renda.

"A teoria eu entendi, ó rainha da desfudência. Mas como é que eu faço para ganhar 1.363,63 reais a mais já a partir deste mês?"

É por isso que, no **Dia 0**, antes mesmo de começar as tarefas deste guia, eu te falei sobre a importância da renda extra. Esse é o pulo do gato. O quadro a seguir não aparece todos os dias só para enfeitar o livro:

Hoje eu fiz R$ _____ de renda extra!

Caiu a ficha?

Mas hoje eu quero mesmo é que você faça as contas, como eu fiz, e descubra se está vivendo no 70/30.

Está? Parabéns! Eita leitor(a) porreta!!!

Não está? Então você precisa decidir se neste momento quer gastar menos ou ganhar mais. Ou as duas coisas, que tal? Talvez você já esteja fazendo a renda extra. Maravilha! Se não estiver, amanhã vou te convencer a começar imediatamente.

MEUS GASTOS DE HOJE

O quê	Quanto	Por quê	Onde	Como
	R$			
	R$			
	R$			
	R$			
	R$			
	R$			

Para desestressar, sugiro uma atividade bem lúdica. Pegue lápis e canetinhas e pinte o retrato da Nath. Não vale fazer chifrinho nem bigode.

PS: As crianças amam fazer este exercício com os pais. É uma ótima oportunidade para falar sobre educação financeira com a garotada. Capricha, marca @NathaliaArcuri e posta com a hashtag **#Dia12MePoupe**.

PINTANDO A NATH

DIA 13

RENDA EXTRA
Tempo: o dia inteiro

Quando uma pessoa não consegue gastar menos – seja porque não quer abrir mão do padrão de vida que tem, seja porque já está no talo –, a solução é ganhar mais. Mesmo que você já esteja correndo atrás e buscando outras formas de aumentar sua renda desde que começou a ler este guia (Parabéééééns! Só orgulho!)*, aqui você vai encontrar boas sugestões para fazer ainda mais dinheiro.*

Talvez não seja um conceito totalmente novo: muita gente tem uma tia que, além de trabalhar como enfermeira, vende produtos de beleza por catálogo; uma prima dentista que faz pequenos consertos de roupa no fim de semana; ou um vizinho programador que dá aulas particulares para complementar a renda. Isso é renda extra, ou seja, uma ocupação diferente do seu trabalho principal, capaz de complementar a sua renda para que você possa investir e ganhar mais dinheiro. Porém, para o seu projeto de enriquecimento dar certo, você terá que pensar em alternativas de renda extra e contínua, ao menos enquanto tiver dívidas a pagar ou até encontrar outra maneira de aumentar seus ganhos – reivindicando um aumento de salário, por exemplo (vai ter um dia para a gente treinar isso!), ou encontrando um emprego que lhe pague mais.

O jeito mais rápido e fácil de criar renda extra é selecionar roupas, objetos, eletrodomésticos, brinquedos, móveis que você não usa mais e possa vender. Se revirar armários e gavetas, vai encontrar aquela blusinha que comprou e nunca usou (talvez esteja até com etiqueta!), a vassoura mágica que nunca conheceu um tapete (fala sério: você até esqueceu que tinha comprado), o acessório da moto que nunca saiu da caixa porque você não descobriu como instalar.

"Nath, sua linda, você tem bola de cristal?" Tenho.

Pensa. Pensa no que você tem, não usa e pode virar dinheiro. No reality que eu produzi para a TV aberta, notei que a maioria dos participantes não enxergava valor em coisas que poderiam gerar uma ótima renda extra. Eles precisaram de alguém de fora para olhar e dizer: "Ei, essa máquina de cortar cabelo tá parada há quanto tempo? Dá pra conseguir uns 30 reais com ela." O Márcio, professor de ninjutsu, vendeu o próprio cabelo – você leu corretamente: cabelo – para se encaixar no meu método 70/30. Ele tinha o maior cabelão e embolsou 500 reais! E detalhe: o Márcio já tinha vendido o cabelo antes, mas só havia conseguido 180 reais. Como eu fiz para aumentar em 150% o valor do cabelo dele? Simples: procurei quem pagava mais.

Você pode usar o SOS Me Poupe!, uma vitrine virtual gratuita que a minha equipe criou pra te ajudar a fazer mais dinheiro em menos tempo. Entra lá: sos.mepoupe.com.

Mas uma hora você vai esgotar o seu estoque de pronta-entrega. E aí?

É por isso que, desde já, quero que você pense em formas mais sustentáveis de garantir renda extra suficiente e contínua. Que talentos você tem que podem render produtos ou serviços que outras pessoas vão querer comprar?

Digamos que você faça um brownie que todo mundo elogia: que tal assar um bem caprichado e vender no trabalho, no condomínio, na faculdade, três vezes por semana? (Lembrando que o dinheiro para a compra dos ingredientes tem que sair dos gastos essenciais.)

Tem muito mais coisas que você pode fazer. Vejamos:
- Avisar às amigas que está disponível para fazer sua famosa escova, mediante o pagamento de módicos 20 reais, todo sábado e domingo.
- Contar aos colegas da facul que sabe tudo de contabilidade e pode dar aulas particulares.
- Anunciar no condomínio que você AMA bichos e pode passear com os cachorros da galera.
- Gosta de criança? Que tal visitar bufês infantis e se oferecer para interpretar personagens nas festas? Acho que você pode ser um divertidíssimo Olaf ou uma linda Elsa!

Aposto que você tem milhares de ideias também!
"Peraí, musa. Mas eu já trabalho a semana inteira que nem um camelo. Ainda vou ter que me vestir de boneco de neve e ralar sábado e domingo para fazer a tal renda extra???"
É só uma das ideias. Se você tiver outra melhor, use a sua!
"Não tenho..."
Então usa as que eu te dei.

"Por quanto tempo?"

Até estar desfudido(a) ou rico(a).

"Ah, tá."

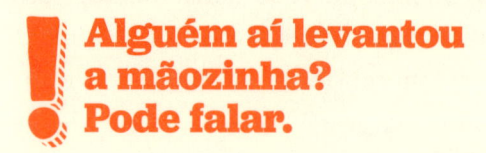

> **Alguém aí levantou a mãozinha? Pode falar.**

"Nath, sua linda, eu não preciso fazer renda. Já estou no 70/30 porque desde 2015 eu te sigo e aplico todas as dicas! Me dá estrelinha!"

Aê!!!! Palmas, muitas palmas!

Mas posso mandar a real? Se a sua vida financeira já está redondinha, a renda extra vai gerar mais dinheiro para você investir e pode te aproximar mais rapidamente da independência financeira. Não faça de conta que não é com você. Pense nisso e responda às perguntas a seguir:

Meus talentos ocultos:

....
....
....
....

O que eu sei fazer?

....
....
....
....

Quais dessas habilidades podem trazer dinheiro?

....
....
....
....

Em que dias da semana posso trabalhar para fazer essa renda extra?

SEG	TER	QUA	QUI	SEX	SÁB	DOM

Quanto tempo por dia tenho disponível para isso?

SEG	TER	QUA	QUI	SEX	SÁB	DOM

Agora, se não souber por onde começar, dê uma olhada na tabela a seguir. Os dados foram colhidos em São Paulo, em 2020. Em outros lugares, os preços podem ser diferentes, então é bom você pesquisar seu mercado local. Ao avaliar o que é melhor para você, não deixe de considerar o tempo necessário para realizar a atividade. Se forem muitas horas de trabalho para pouco dinheiro, talvez seja o caso de pensar em algo mais rentável.

Trabalho	Ganho	Tempo necessário
Passear com cachorro	700 reais/mês por cão	1 hora e meia por dia
Fazer máscaras de tecido	Até 10 reais a unidade	30 a 50 máscaras em uma tarde
Dar aulas on-line de qualquer coisa que você faça bem – desde dicas sobre como limpar casa até falar sobre física quântica	Até 150 reais por aula	1 hora
Vender brigadeiros	Até 5 reais a unidade	1 hora entre fazer e enrolar
Trabalhar como assistente virtual	A partir de 800 reais por mês	6-8 horas diárias
Indicar imóveis para alugar ou vender	10% do valor caso o aluguel seja fechado; a combinar em caso de venda	2 horas por dia entre pesquisa e preenchimento de formulários
Trabalhar como cliente oculto	De 50 a 500 reais por visita a empresa ou loja	2 horas por dia

Se ainda não começou a fazer renda extra, não tem mais desculpa!

MEUS GASTOS DE HOJE

O quê	Quanto	Por quê	Onde	Como
	R$			
	R$			
	R$			
	R$			
	R$			
	R$			

Hoje eu fiz R$ .... *de renda extra!*

NO DIVÃ
Sinto medo de...

....
....
....
....
....

DIA 14

_/ /_

A TÉCNICA DOS ENVELOPES

Tempo: 3 horas

Hoje é um dos dias mais esperados, mais desejados, mais temidos e mais espetaculares de toda a minha metodologia.

Espero que você esteja com energia e determinação para cumprir a tarefa. Você vai aprender a usar a técnica dos envelopes. E ela vai causar uma revolução nos seus hábitos.

Você vai precisar de:
- Envelopes e
- Dinheiro vivo.

"Ah, não pode ser cartão, Nath, sua linda?"
Não.
"Não mesmo?"

Não. Faz parte do meu método que você tenha que lidar com dinheiro, especialmente se estiver vivendo fora do 70/30 – e mais especialmente ainda se tiver dívidas. Combinamos isso lá no comecinho do livro, lembra?

Pagar com dinheiro talvez seja uma experiência nova pra você, mas ela é restauradora. Você vai valorizar como nunca o seu dinheirinho suado. Passar cartão de crédito para pagar uma blusinha de 70 reais não dói. Entregar uma nota de 50 e uma de 20 machuca.

Usar dinheiro vivo tem outro efeito colateral fantástico: a pessoa para de viver no looping do cartão de crédito e começa a se planejar com o dinheiro que tem.

Espero que não seja o seu caso, mas conheço um monte de gente que vive contando os dias para a famosa "virada" do cartão – aquele momento a partir do qual poderá gastar "à vontade" para pagar só dali a 40 dias. Se na hora de quitar a fatura a pessoa não tiver o total, tudo bem, vai no rotativo mesmo. O cara não percebe a bola de neve se formando. Filme de terror. Quando cai a ficha, tem uma dívida que não consegue pagar.

Quando você só gasta o que tem, esse problema desaparece. É mágico.

O primeiro passo é checar quais são as suas despesas fixas do mês. Muitas contas são pagas via boleto ou em débito automático, portanto deixe no banco o suficiente para pagá-las. Não faria sentido tirar o dinheiro para ter que depositar de novo e quitar a conta de luz, água, telefone, financiamento, etc.

Relembre os gastos que anotou no início deste guia. Veja os gastos fixos que tem que pagar ao longo do mês.

Vamos imaginar que você acabou de receber seu salário e tem 2 mil reais na conta. Deixou lá 800 para as contas que vão vencer e sacou os 1.200 remanescentes.

Só que, para a técnica dos envelopes funcionar, você tem que contabilizar os 2 mil reais, e não só o que sacou.

Para você entender melhor como funciona, vou desenhar. Cada um dos 10 quadradinhos desta barra representa 200 reais.

R$ 200	R$ 200	R$ 200	R$ 200	R$ 200
R$ 200	R$ 200	R$ 200	R$ 200	R$ 200

Agora vamos aplicar a técnica 70/30 ao seu dinheiro. Começando pelos 30% que você hoje está pagando para você mesmo(a) amanhã.

Pegue o primeiro envelope e escreva: ***BOLETO PESSOAL***. Coloque nele 600 reais. Este é o dinheiro das suas metas e da sua independência financeira, que você precisa investir para que ele trabalhe pelo seu futuro.

"Não posso deixar esse envelope por último, Nath? Aí eu ponho nele tudo o que sobrar, prometo!"

Não! Não pode!

Se deixar para o final, dificilmente vai sobrar. Separe esse dinheiro **AGORA**. Se, por outro lado, você não estiver se aguentando e quiser investir logo, veja dicas de como e onde aplicar seu dinheiro no **Dia 23**.

Boleto Pessoal	Boleto Pessoal	Boleto Pessoal	R$ 200	R$ 200
R$ 200	R$ 200	R$ 200	R$ 200	R$ 200

O próximo envelope é o da ***EDUCAÇÃO***, o fermento da sua vida financeira. Ele deve conter 5% da sua renda.

Boleto Pessoal	Boleto Pessoal	Boleto Pessoal	Educação	R$ 200
R$ 200	R$ 200	R$ 200	R$ 200	R$ 200

Então vem o envelope que as pessoas costumam adorar. Digo as pessoas, mas estou falando das controladas, aquelas que não têm dívidas e estão em dia com o 70/30. O nome desse envelope é: ***ESTE DINHEIRO É MEU E EU FAÇO COM ELE O QUE EU QUISER***. É isso mesmo: gaste sem culpa, sem dar satisfação a ninguém, com o que você bem entender. Esse envelope contém 10% dos seus ganhos, ou seja, 200 reais.

Boleto Pessoal	Boleto Pessoal	Boleto Pessoal	Educação	Este dinheiro é meu
R$ 200	R$ 200	R$ 200	R$ 200	R$ 200

Se você está endividado, pode esquecer esse envelope e devolver aqui este dinheiro. Você tem que incorporar esses recursos ao último envelope, que se chama **ESSENCIAL**. Ou seja, para pagar os gastos essenciais, você contará com 55% da sua renda e ainda terá o reforço dos 10% para quitar as dívidas. Lembrando que tudo que é essencial para você (já falamos bastante sobre isso) tem que caber nestes 55%: custos fixos, variáveis e eventuais. As dívidas, como as parcelas do financiamento do carro, também estão aqui e, idealmente, não deveriam superar 20% da sua renda.

Boleto Pessoal	Boleto Pessoal	Boleto Pessoal	Educação	Este dinheiro é meu
			Essencial	
Essencial	Essencial	Essencial	Essencial	Essencial

Lembra o que a gente combinou quando começou esta tarefa? O dinheiro dos boletos e das contas em débito automático pode ficar na conta, mas o restante está aqui nestes envelopes.

"Nath, e o cartão de crédito, onde entra?"

(Nath respira fundo. A respiração se acelera.)
Cartão de crédito não é despesa!!!!!! Cartão de crédito é ferramenta. Despesa é o que está listado na fatura do cartão. Vai ter alimentação, farmácia, lazer, transporte. As compras que você já fez estão incluídas nos seus gastos variáveis. E vou relembrar: enquanto estiver seguindo este guia, nada de usar cartão!

Comece fazendo as contas dos seus gastos fixos. Esses são intocáveis. Veja quanto sobrou e determine valores máximos para os gastos variáveis – porque nesses você pode mexer. Por exemplo: decida que você só pode gastar 100 reais por semana com alimentação. Se torrar tudo antes da hora... vai ter que filar a boia de alguém ou fazer renda extra para comer.

Ninguém disse que ia ser fácil. Mas que funciona, ah, isso funciona!

> **! Eu nem precisei de bola de cristal para adivinhar que, na hora de montar os envelopes, faltou dinheiro. É por isso que a renda extra é fundamental. Se você já estiver ganhando mais, a vida deve estar mais fácil. Concorda?**

E por falar nisso...

Hoje eu fiz R$ _____ de renda extra!

MEUS GASTOS DE HOJE

O quê	Quanto	Por quê	Onde	Como
	R$			
	R$			
	R$			
	R$			
	R$			
	R$			

Minha maior conquista até agora foi...

....
....
....

MONTANHA DE INUTILIDADES

Tempo: 4 horas

Vou te dar uma ajudinha com essa história da renda extra.

Não importa se você ainda não se organizou para começar um trabalho que lhe permita complementar sua renda. A tarefa que você tem pela frente é bem simples: levar tudo aquilo que não usa há mais de um ano para o meio da sala ou para algum outro ambiente que toda a família frequente (assim incomoda e você vai ter que resolver o assunto mais depressa). Tipo "família vende tudo".

Para deixar a dinâmica ainda mais "animada", tente lembrar quanto pagou por cada item que está encostado. Pode ser roupa, calçado, acessório, eletrônico, livro... Não importa. Olhe cada item com curiosidade e se pergunte: quanto eu paguei por isso? Na sequência, faça uma lista, coloque o valor estimado do lado e vá somando TUDO.

O quê	Quanto custou	Quanto vale
	R$	R$
	R$	R$
	R$	R$
	R$	R$
	R$	R$
Total	R$	R$

Essa tarefa costuma ser um retrato desolador do mau uso do dinheiro. Em geral, o resultado é um monte de coisas compradas por impulso e um endividado olhando e pensando que tudo aquilo vale dinheiro, muito dinheiro.

Este é um exercício doloroso, mas profundamente educativo. A montanha de inutilidades vai grudar na sua memória. Na próxima vez que você quiser comprar outra calça jeans ou outro videogame, vai lembrar da montanha. Se você aprende lições com facilidade, vai comprar apenas se for essencial e se tiver dinheiro para aquilo.

Uma vez, eu pedi pros mepoupeiros fazerem suas montanhas de inutilidades, postarem a imagem e me marcarem nas redes. Eu escolheria a maior montanha e iria "visitar" o ganhador. A vencedora desse triste concurso foi a Silvana, uma jovem de Vila Nova Cachoeirinha, em São Paulo. Eu fiquei tão desanimada que pedi pro Jobs ir à casa dela – faltou coragem, juro. O Jobs foi, e olha o que a Silvana contou pra ele:

"Eu tinha sapatos novos, xícaras novas, um lote de roupas infantis que comprei há um ano para abrir uma lojinha virtual e fazer renda extra, mas encalhou. As xícaras eu tenho há mais de dez anos, ainda estão na caixa, nunca usei. Também achei oito calças sociais, sete calças jeans, dois vestidos, dez blusinhas e três saias. Quando a gente somou tudo, deu mais de 6 mil reais parados em casa, e eu lascada, com dívidas!"

É disso que estou falando.

Faça a sua montanha. Bote preço em cada objeto. Chame os amigos e os vizinhos. Pesquise brechós, grupos de Facebook e sites que podem fazer a venda para você. Fotografe, poste os objetos e as roupas. Venda alguma coisa HOJE.

O quê	Preço	Por quanto vendi
	R$	R$
	R$	R$
	R$	R$
Total	R$	R$

Terminou? É hora de comemorar. Coloque uma música bem alta e dance no meio da sala, no lugar onde estava sua montanha de inutilidades.

Hoje eu fiz R$ .... de renda extra!

MEUS GASTOS DE HOJE

O quê	Quanto	Por quê	Onde	Como
	R$			
	R$			
	R$			
	R$			
	R$			
	R$			

Tenho...

....

Me apego...

....

Vendo quando puder...

....

DIA 16

/ /

NEGOCIAÇÃO DE CUSTOS FIXOS

Tempo: 2 horas

Você já está a toda, tentando ganhar mais dinheiro, mas também precisa cortar gastos para facilitar sua vida daqui pra frente. Por isso, hoje é um dia que eu ADORO. Ah, que festa da negociação!

Já fiz um monte de vídeos sobre isso, mas toda vez que toco neste assunto tenho o mesmo quentinho no coração.

Sua tarefa de hoje é a seguinte: você vai escolher três despesas fixas para reduzir na base da boa e velha negociação.

Da mesma maneira que a renda extra, essa providência vai ajudar você a se aproximar do 70/30. As duas medidas podem caminhar juntas: talvez você consiga economizar o suficiente para reduzir sua necessidade de renda extra!

Mesmo que sua vida financeira esteja equilibrada, essa economia vai acelerar o seu caminho para a riqueza.

"Mas o que eu escolho, Nath? Me ajuda!"

Preste atenção. Vai ser difícil reduzir o valor do condomínio, porque é uma decisão tomada em assembleia com outros moradores. Mas tem outras despesas que estão quase implorando para você negociar. Quer ver?

O plano de dados do celular, por exemplo. Pegue sua última conta. Você usou todos aqueles gigas de internet? Todos aqueles minutos de roaming? Diárias de viagem internacional? Ligue para a operadora e explique que precisa reduzir essa conta. Pergunte o que ela tem para te oferecer. "Sinto muito, o seu plano já é o mais barato que temos", o atendente pode dizer. E você vai responder o quê? "Então está certo. Vou exercer o meu direito de portabilidade e levar meu número para outra operadora que esteja interessada no meu enriquecimento!" Hahaha!

A TV a cabo. Você assiste mesmo a todos aqueles 50 canais? Jura que tem tempo? Faça um pacote mais básico. Ninguém dá conta de oito canais de esportes, dez canais com programação de culinária, quinze canais de filmes. Ninguém precisa de tudo isso.

Sua academia oferece 35 tipos diferentes de aulas, mas você só faz musculação. Então, por que paga pelo que não usa? Procure uma rede mais barata ou negocie com a sua.

Preencha a tabela a seguir com as despesas a serem reduzidas e, no final, some quanto economizará em um ano. Vai ser uma festa! Fala sério: já valeu a pena ter comprado este livro, né?

Despesa a ser reduzida	Valor atual	Valor pós-negociação	Economia em 1 ano
	R$	R$	R$
	R$	R$	R$
	R$	R$	R$
	R$	R$	R$
	R$	R$	R$

MEUS GASTOS DE HOJE

O quê	Quanto	Por quê	Onde	Como
	R$			
	R$			
	R$			
	R$			
	R$			
	R$			

Hoje eu fiz R$ .... de renda extra!

Se eu fosse a Nath, o que diria para mim depois de tudo o que fiz hoje?

....
....
....
....
....

APRENDA ECONOMÊS

Tempo: até 1 hora

Muita gente acha um porre assistir ao noticiário econômico ou ler matérias de economia. Eu sei. Mas isso é fundamental para te dar bagagem para encarar os desafios – não só dos próximos dias, mas da maravilhosa vida financeira que terá daqui pra frente. A primeira tarefa de hoje é assim:

Com uma caneta na mão, sente-se para assistir a um programa de TV ou, se preferir, escolha uma reportagem de jornal, um artigo de revista ou um texto de internet para ler. Tem que ser de *Economia*.

Agora tome nota de três palavras ou expressões que você não tem a mais remota ideia do que signifiquem. Tipo norueguês.

Entre no site Me Poupe! e faça uma busca pelas palavras. Se tiver vídeos sobre elas, assista. Se não tiver, me marca nas redes sociais com a hashtag **#AprendaEconomês** e eu vou te ajudar.

Você também pode – pode não, deve! – buscar outras fontes, como jornais, revistas, sites respeitados de economia. Não desista até o significado estar bem claro pra você. Anote o que entendeu.

1. ....
2. ....
3. ....

Tente fazer dessa atividade um hábito. Ouviu ou leu um termo que não entende? Anote e, quando tiver um respiro, pesquise. Não fique no raso: pesquise profundamente.

SOPA DE LETRINHAS

Para dar um empurrãozinho, ensino aqui o significado de alguns termos fundamentais para quem está dando os primeiros passos no mundo das finanças.

Selic é a taxa básica da economia, que comanda todas as demais – tipo a mãe de todas as taxas. Se ela aumenta, os juros do cartão de crédito e do financiamento vão atrás e os investimentos em renda fixa ficam mais atraentes porque os investidores vão receber mais juros pelo dinheiro que emprestam. Se ela cai, os investimentos em renda fixa saem perdendo. Os juros do cartão de crédito e dos financiamentos deveriam cair na mesma proporção, mas, na prática, isso não aconteceu... Essa taxa afundou entre 2016 e 2020 e nem por isso os juros de financiamento e dívidas despencaram na mesma velocidade.

CDI (Certificado de Depósito Interbancário) é a taxa que os bancos utilizam para emprestar dinheiro uns para os outros. Costuma acompanhar a Selic de perto. Assim, quando alguém fala que tal investimento está pagando 100% do CDI, significa que vai pagar a porcentagem integral. Por exemplo: se a taxa Selic está em 2% ao ano, um CDB que pague 100% do CDI vai render algo bem próximo de 2% ao ano também. Mepoupeiros experientes sabem que devem procurar SEMPRE aplicações que paguem acima de 100% do CDI.

CDBs (Certificados de Depósito Bancário) são títulos que os bancos oferecem ao mercado (ou seja, a gente como eu e você) quando precisam captar dinheiro para emprestar a outras pessoas ou instituições. Paga-se imposto de renda sobre a rentabilidade, com taxas que variam de 22,5% a 15%, dependendo do tempo que o nosso dinheiro ficar "emprestado" ao banco.

FGC (Fundo Garantidor de Crédito) é uma proteção para quem empresta dinheiro a um banco por meio de CDBs, LCIs, LCAs, entre outras aplicações, garantindo a devolução de até 250 mil reais se algo de errado acontecer com a instituição financeira responsável pelo investimento. O FGC também protege a poupança e a conta corrente dos bancos.

LCI (Letra de Crédito Imobiliário) é uma modalidade de renda fixa na qual você empresta dinheiro ao banco, que por sua vez vai emprestar o seu dinheiro para o setor imobiliário.

O **IPCA (Índice de Preços ao Consumidor Amplo)** é um termômetro da inflação no Brasil, mostrando quanto os preços aumentaram em média naquele mês ou ano. Quanto maior a inflação, menor é o valor do seu dinheiro, pois o que você comprava no mês passado com 100 reais já não compra mais este mês.

LCA (Letra de Crédito do Agronegócio) é uma modalidade de renda fixa na qual você empresta dinheiro ao banco, que por sua vez vai emprestar o seu dinheiro para o setor agropecuário.

Você pode aprender economês! Estude como se a sua vida financeira dependesse disso. Porque ela talvez dependa mesmo...

MEUS GASTOS DE HOJE

O quê	Quanto	Por quê	Onde	Como
	R$			
	R$			
	R$			
	R$			
	R$			
	R$			

Hoje eu fiz R$ .... de renda extra!

Nunca vai faltar dinheiro no meu bolso se eu...

....
....
....
....
....

RESERVA DE EMERGÊNCIA

Tempo: 1 hora

Na minha metodologia, a reserva de emergência deve ser o primeiro investimento da sua nova vida.

Se você está boiando, vou esclarecer: é como uma caixa de primeiros socorros. Você tem que ter, saber onde está, mas só usar se não tiver outra saída. É aquele dinheiro que vai te salvar diante de um imprevisto. O cachorro ficar doente. O dente quebrar. Perder o emprego na pandemia. Essas coisas acontecem, infelizmente. Quem não tem reserva faz o quê? Se endivida! Mas os mepoupeiros, não. Eles sabem que ela é uma boia de salvação.

É dinheiro guardado para uma emergência. Preste atenção: *Emergência*. Viagem de férias é emergência? Não! Vestido para ser madrinha de casamento é emergência? Não! Emergência é fácil de reconhecer, e em geral não é coisa boa.

Recomendo que a reserva de emergência seja igual a seis meses do seu custo de vida. Se você "custa" 2 mil reais por mês, sua reserva de emergência deve ser de 12 mil reais.

"Mas, Nath, é muito dinheiro!"

Ouvi isso, editor? Siiiim! Mas você está aqui para quê? Você é um homem ou um rato? Uma mulher ou uma minhoca? Pois se ligue! Este guia foi criado para você sair da lama e começar a investir que nem gente grande. Lembra dos 30 dos 70/30? Do envelope *Boleto Pessoal*? É desse dinheiro que vai sair a sua reserva de emergência. Você não usará todo o dinheiro do futuro para isso, apenas um terço do seu *Boleto Pessoal*, ou seja, 10% do salário total. Isso será uma das suas metas até você chegar ao valor necessário para compor a reserva.

"Entendi, minha musa. Mas o que eu faço com esse dinheiro de que posso precisar a qualquer momento?"

A resposta é: você aplica.

"Mas precisa mesmo aplicar?"

Claaaaaro!

> **Todo dinheiro poupado tem que ser dinheiro investido. Senão, vira dinheiro perdido.**
> *Arcuri, Nathalia*

O lance é que não pode ser em qualquer aplicação. Quem me conhece sabe: não costumo opinar sobre onde você deve investir seu dinheiro. Isso depende das suas metas, de quanto você tem, da sua aversão (ou não) ao risco. No caso da reserva de emergência, porém, eu até abro uma exceção. Não pode ser naquele CDB com vencimento em 2025. Nem no fundo de ações (Opa! Terreno novo! Já, já, falaremos sobre isso) cuja rentabilidade uma semana é boa, na outra é um desastre. O dinheiro da reserva de emergência deve ser aplicado em um investimento seguro e com liquidez diária, isto é, que você pode resgatar a qualquer momento sem perder nada com isso.

Basicamente, hoje existem duas alternativas que equilibram rentabilidade e facilidade de resgate:

- **Tesouro Selic**, que acompanha a Selic, a taxa-mãe da economia;
- **CDBs** de liquidez diária de bancos digitais que paguem no mínimo 100% do CDI.

Por enquanto, só quero que você guarde a seguinte informação: seu primeiro investimento será para formar a reserva de emergência.

MEUS GASTOS DE HOJE

O quê	Quanto	Por quê	Onde	Como
	R$			
	R$			
	R$			
	R$			
	R$			
	R$			

Hoje eu fiz R$ _____ de renda extra!

O ditado que cai como uma luva na minha vida é:

( ) O seguro morreu de velho.
( ) Quem casa quer casa.
( ) De grão em grão, a galinha enche o papo.
( ) Deus ajuda quem cedo madruga.
( ) Não adianta chorar pelo leite derramado.
( ) Em terra de cego, quem tem um olho é rei.

DIA 19

CARA A CARA COM SIDINELSON: RENEGOCIE SUAS DÍVIDAS

Tempo: 4 horas

AVISO: Se você não tem dívidas, pule este dia. Hoje é folga! Você tá podendo! Te espero amanhã, ainda temos trabalho pela frente.

Lááá no **Dia 6**, num momento terrível, mas já com gosto de virada, convidei você (convidei é um eufemismo; intimei, mesmo) a puxar a sua "capivara financeira", isto é, a levantar exatamente quanto você deve, a quem, quanto paga de juros sobre a sua dívida e outros detalhes sórdidos. Eu sei: é um dia que você preferiria esquecer. Mas encarar a dívida de frente é uma medida fundamental na reorganização das suas finanças, e hoje você vai além.

PASSO 1: Volte ao **Dia 6**, analise o quadro que você preencheu e escolha a dívida que vai negociar primeiro. Se você está pendurado(a) no cheque especial ou no cartão de crédito, sugiro que comece por uma delas, porque essas são dívidas caras, pelas quais você paga juros muito altos. Se não tiver nenhuma das duas, comece pelas dívidas menores, que são mais fáceis de pagar e vão te dar um gás para continuar aniquilando as demais uma a uma.

PASSO 2: Estude os números da dívida escolhida. Digamos que você queira acabar com o rolo do seu cheque especial e tenha programado fazer hoje uma visitinha ao seu gerente, o Sidinelson dos seus pesadelos. Quando chegar para negociar, você precisará ter na ponta da língua o valor atual da dívida, quanto já pagou e quanto você quer pagar.

Isso é muito importante.

Se você tem uma dívida antiga, daquelas que o banco até perdeu a esperança de receber, jogue o valor lá no chão. O banco não esperava reaver esse dinheiro mesmo. Use isso a seu favor. É bem provável que o Sidinelson lhe faça uma contraproposta, tentando levar a melhor. Por isso, você precisará ter em mente o máximo que pode aceitar naquela negociação.

Esta tabela vai ajudar você a organizar seu pensamento.

Dívida	Casa	Carro	Consignado	Cheque especial	Cartão de crédito
Valor inicial	R$	R$	R$	R$	R$
Quanto já pagou	R$	R$	R$	R$	R$
Valor atual com juros	R$	R$	R$	R$	R$
Valor atual sem juros	R$	R$	R$	R$	R$
Juros	%	%	%	%	%
CET	%	%	%	%	%
Valor máximo que pretende pagar	R$	R$	R$	R$	R$

Faça seu dever de casa, leve suas anotações e não tenha vergonha de consultá-las durante a conversa (Sid vai ficar impressionado). Na hora H, não abra mão do que você combinou consigo mesmo(a).

PASSO 3: Escolha entre pagar à vista ou parcelado.

"O quê? Nath, você tá passando bem? Tá falando para eu parcelar uma dívida?"

Olha como você é! Eu dei a opção e o seu cérebro já está achando que parcelar é o melhor a fazer.

Vamos lá: Se você está inadimplente, ou seja, se fez uma dívida e não pagou, seu nome deve estar sujo.

O que acontece quando seu nome está sujo? Os bancos que podiam emprestar dinheiro a juros baixos para você quitar uma dívida de juros altos, como o cheque especial, não confiam em você e cobram juros altos de novo. E aí você fica naquela bola de neve do capeta.

Quando é que parcelar vale a pena então? Quando a parcela cabe no seu bolso e te livra do nome sujo. Por lei, assim que você paga a primeira parcela de uma dívida, a empresa credora precisa "limpar o seu nome" (sobre aquela dívida, claro).

Mas cuidado!

Parcelar a dívida com o cartão de crédito, por exemplo, pode ser um tiro no pé, ainda que a parcela caiba no seu bolso. Por isso, antes de tomar qualquer decisão, passe para o próximo passo da tarefa de hoje.

PASSO 4: Simule! Existe algo mágico no mundo das pessoas que sabem cuidar do dinheiro chamado simulação.

Simulação nada mais é do que você conseguir enxergar no presente o que vai acontecer com o seu dinheiro no futuro. Isso vale para dívidas e para investimentos também.

Hoje você vai simular com o seu banco e com outras instituições financeiras as opções disponíveis para se livrar de uma dívida.

Pouca gente sabe, mas você pode levar a sua dívida para outra instituição que ofereça juros menores. Você já fez essa pesquisa? Pois faça HOJE. Essa operação se chama portabilidade de crédito e é regulamentada pelo Banco Central. Funciona assim: você pode descobrir um banco que está disposto a "comprar" a sua dívida com o banco atual cobrando menos do que você paga hoje. Você pode usar isso como moeda de troca com o Sidinelson, inclusive. Se ele não quiser negociar a sua dívida, ameace levar para outro banco!

Mas tem que ficar esperto. O banco que aceitou a sua dívida a juros mais baixos não pode cobrar taxas bancárias nem te obrigar a adquirir produtos. Você nem precisa abrir conta corrente: a portabilidade de crédito é uma transferência entre bancos.

Voltando à dívida com o seu cartão de crédito, talvez seja melhor não pagar os juros de 9% ao mês que vão elevar o valor das parcelas e, consequentemente, o valor total pago. Em outros bancos e fintechs você consegue juros entre 3% e 6%. A tática aqui é pegar dinheiro com outra instituição e se livrar da dívida que você fez anteriormente, quitando à vista.

Importante: certifique-se de que você tem como pagar o valor que negociará. Não adianta nada se preparar e ter sucesso na negociação se a parcela que você combinou não couber no seu orçamento. Faça as contas antes.

PASSO 5: Com todos os dados à mão, vá até o banco e peça para falar com o Sidinelson. Tenha um roteiro mental de como conduzirá a conversa. Pode ser algo assim:

"Então, sr. Sidinelson, eu vim aqui para negociar uma dívida. Quero sair daqui sem ela! Posso contar com a sua ajuda?"

Depois de contar uma longa história sobre como aquela dívida começou e por que foi crescendo, encerre seu monólogo com uma pergunta: "Por que, apesar de eu estar pagando há anos, a minha dívida continua do mesmo tamanho?"

Ignore as explicações do Sidinelson e continue com foco na solução da dívida.

"Bem, o fato é que hoje eu vim pagar a minha dívida e tenho

uma proposta: é pegar ou largar! Eu vou te pagar 500 reais e caso encerrado!"

Sidinelson tentará desqualificar você, fazer contrapropostas indecentes ou vencer pelo cansaço. Mal sabe ele que está diante de um mepoupeiro altamente capacitado! Respire fundo. Medite. Você tem um objetivo, e não sairá do banco antes de atingi-lo.

Se você tiver esgotado todas as suas possibilidades de negociação sem sucesso e considerar que sua dívida é abusiva (geralmente é), procure um Juizado de Pequenas Causas. É um serviço público, gratuito e muito eficiente. Nas grandes cidades, há faculdades de direito que também oferecem esse atendimento como forma de preparar os alunos para a profissão, sempre sob a supervisão de professores experientes. Não deixe de procurar seus direitos.

Mas o que eu posso te dizer é que, em geral, as chances de você se dar bem nessa negociação são boas, especialmente nas dívidas mais antigas. Já acompanhei endividados que tinham três dívidas no mesmo banco, somando milhares de reais, e saíram da mesa do Sidinelson com um acordo para pagar 24 parcelas de 100 reais. Funciona!

PASSO 6: Se der certo, pule, grite, compartilhe nas suas redes sociais pra todo mundo saber que é possível. Se não tiver sucesso, procure outro banco ou instituição financeira para negociar a portabilidade do seu crédito. Preparei uma lista de sites seguros para te colocar em contato com fintechs que oferecem juros mais baixos. *Confira aqui:*

REGISTRE AQUI SUA NEGOCIAÇÃO BEM-SUCEDIDA:

Dívida escolhida: ....
Valor da dívida com juros no dia da negociação:
R$ ....
Valor fechado para quitar à vista:
R$ ....
Ou, em caso de valor parcelado, ... *parcelas de*
R$ ....

**EU SEI QUE EU JÁ DISSE, MAS VOU REPETIR:
PAGUE em dia, bonitinho, o valor negociado.**

Hoje foi um dia difícil que acabou bem (espero!), mas isso não livrou você das suas obrigações diárias. Então...

MEUS GASTOS DE HOJE

O quê	Quanto	Por quê	Onde	Como
	R$			
	R$			
	R$			
	R$			
	R$			
	R$			

Hoje eu fiz R$ .... *de renda extra!*

Sinto orgulho de mim porque...
....
....
....

DIA 20

CUIDADO COM OS APLICATIVOS

Tempo: 2 horas

Hoje eu quero chamar a sua atenção para um fenômeno cada vez mais comum que se agravou com a pandemia.

Não é eclipse. Não é nuvem de fumaça escurecendo o dia. É gente gastando quase tudo o que ganha em aplicativos de transporte e delivery de comida.

Lembra do dia em que você marcou os extratos com canetinhas? De que cor você pintou as despesas com os apps que facilitam a vida, mas complicam as contas? Espero que tenha sido de amarelo (custos que podem ser reduzidos) ou vermelho (que podem ser cortados). Não, não estou falando que você precisa parar de se deslocar ou de comer. Estou apenas dizendo que você não precisa chamar um carro de aplicativo todo dia para trabalhar ou pedir comida por algum app sempre que bater a fome.

Isso é falta de planejamento. Ou autossabotagem. São coisas diferentes, mas as duas têm um impacto negativo na sua vida financeira.

Falta de planejamento é "esquecer" que vai ter fome (até parece) e não se programar para comer de maneira financeiramente sustentável. Se você sabe que seu estômago vai roncar todos os dias por volta do meio-dia, por que não levar uma marmita de casa, com alimentos saudáveis e um custo total de preparo muito menor do que a entrega do aplicativo?

Autossabotagem é achar, por exemplo, que você está cansado demais para voltar de busão para casa, então "só hoje" vai chamar um carro. No dia seguinte, está chovendo, então, se for de ônibus, você vai se lascar. No outro dia você precisa chegar logo em casa por um motivo qualquer. E aí... f****! Quando a conta chega, boa parte da sua renda está comprometida com esses pequenos desperdícios do dia a dia.

Busão e marmita não fazem mal à saúde (aliás, brechós também não). Pelo contrário: são um atalho para você chegar mais depressa à sua independência financeira. Deixe para usar os aplicativos quando houver emergências de verdade.

! PS: Aproveite que você precisou voltar ao exercício do Dia 5, das canetinhas, e me diga com sinceridade: você já cortou tudo que pintou de vermelho?

Dá uma olhadinha no quadro de gastos desnecessários que preencheu naquele dia e me diz: você continua jogando esse dinheiro fora? O que aconteceria se você realmente cortasse todos os gastos em vermelho e reduzisse os amarelos? Só você tem esta resposta.

Ei, não feche este guia ainda não! Vire a página e não deixe de fazer as atividades.

MEUS GASTOS DE HOJE

O quê	Quanto	Por quê	Onde	Como
	R$			
	R$			
	R$			
	R$			
	R$			
	R$			

Hoje eu fiz R$ .... de renda extra!

O QUE EU POSSO FAZER PARA MELHORAR...

Meu foco:
....
....
....

Minha motivação:
....
....
....

Meu desempenho:
....
....
....

Minha coragem:
....
....
....

SESSÃO PIPOCA

Tempo: o tempo que você quiser

Ah, que festa do sofá! Se até Deus tirou um dia de descanso, a Nath aqui vai te dar uma folga! Seja muito bem-vindo ao dia de lazer do **Guia prático Me Poupe!**

Porque hoje tem atividade, sim, mas é suave: quero que você veja um, dois, três ou todos os sete filmes desta lista que eu fiz. Vão te fazer um bem danado.

Nem todos são filmes com mensagens óbvias sobre enriquecer. Porém todos vão lhe dar força para os próximos desafios. Para mim, cada um trouxe um aprendizado. Prepare o balde de pipoca e bons filmes! Depois me conta com a hashtag **#GuiaPraticoMeusFilmes** o que você viu e o que achou.

Joy: O nome do sucesso (2015), com Jennifer Lawrence, conta a história (real) de uma mulher extraordinária que conseguiu deixar para trás uma vida comum graças a uma invenção singela: um esfregão que acabou se tornando campeão de vendas nos Estados Unidos. Até alcançar o sucesso, Joy precisou ignorar um monte de gente que dizia: "Esquece, isso não vai dar certo nunca!" Qualquer semelhança com a Nath na época em que criou o Me Poupe! não é mera coincidência.

O homem que mudou o jogo (2011) narra a trajetória de um técnico de beisebol (Brad Pitt) que começa a perder os principais jogadores do time e, mesmo com poucos recursos, precisa montar uma estratégia para ganhar o campeonato. Para isso, ele se vale de dados – informações que, no mundo dos negócios, a gente chama de analítica. Com Brad, eu aprendi a tomar decisões baseadas em números – e isso mudou o destino do Me Poupe!. Acredite.

Steve Jobs (2015), com Michael Fassbender no papel-título, é um filme sobre obstinação, sobre nunca se contentar com o mais ou menos, sobre viver fora da zona de conforto. O cara que criou o iPhone e mudou o mundo da tecnologia é inspiração na certa para qualquer empreendedor. Esse filme mexeu comigo e vai mexer com você.

Rocky III: O desafio supremo (1982) é antiguinho e traz mais um capítulo da trajetória do boxeador Rocky Balboa (Sylvester Stallone). Eu gosto tanto das frases desse filme (tipo: "Você não deve nada a ninguém, só a você mesmo") que até fiz um vídeo sobre elas nos primórdios do Me Poupe!. Além disso, o simples fato de a saga existir já é notável. Stallone teve que comer o pão que o diabo amassou para pôr o primeiro filme em pé e ser a estrela. Foi detonado por sua origem italiana, pela boca torta, pela inexperiência como ator... e olha só no que deu: uma das sagas mais vencedoras do cinema.

À procura da felicidade (2006), com Will Smith, é um filme sobre fé e sobre correr atrás do que queremos. Imagine que o personagem de Will é um sofredor, que chega a morar na rua com o filho pequeno, mas encontra uma oportunidade (no mercado financeiro, aliás), acredita nela e a agarra com todas as forças. De novo: Nath nunca foi sem-teto, mas a parte de agarrar oportunidades e acreditar nelas... qualquer semelhança não é mera coincidência.

Whiplash: Em busca da perfeição (2014) me conquistou porque retrata maravilhosamente o limite sutil entre a paixão e o excesso, personificado no filme pelo embate entre um jovem baterista talentoso e seu mentor ultraexigente. Às vezes, quando queremos muito alguma coisa, ultrapassamos a fronteira e... quebramos a cara. Um puta filme e um grande alerta sobre os riscos do excesso, válido para qualquer empreendedor.

A grande aposta (2015) conta a história de um analista que identificou prematuramente os sinais da bolha imobiliária nos Estados Unidos que jogou grandes bancos na lama em 2008. Ele se juntou a um corretor e, quando todo o mercado se deu mal, os dois ganharam rios de dinheiro. Por que eu gosto desse filme? Porque, para tomar a decisão arrojada de nadar contra a corrente, os protagonistas precisaram buscar informação correta, confiável – o que é fundamental para se lançar no universo de renda variável, onde estão as maiores chances de ganhar dinheiro em tempos de juros baixos.

MEUS GASTOS DE HOJE

O quê	Quanto	Por quê	Onde	Como
	R$			
	R$			
	R$			
	R$			
	R$			
	R$			

Hoje eu fiz R$ .... de renda extra!

O filme da minha vida é...

....

Ele me inspira a...

....
....
....
....

DIA 22

PESSOAS-FOGUETE E PESSOAS-ÂNCORA

Tempo: quanto você quiser

Hoje eu quero que você reflita sobre dois tipos de pessoa que existem na sua vida e tome algumas atitudes em relação a elas: as pessoas-âncora e as pessoas-foguete.

Se você está inscrito no meu canal, seguramente já me ouviu falar sobre isso. Se não, vem cá que eu vou lhe apresentar esses conceitos e mostrar como você deve agir.

Quando eu decidi me lançar como empreendedora digital, criando primeiro o blog, depois o canal Me Poupe!, muita gente me disse:

"Isso não vai dar certo! Fique onde você está! Você está indo tão bem!" (Eu era repórter de TV e de fato estava indo bem. Tinha um bom salário, mas poucas perspectivas.)

Ou então me diziam:

"Deixa disso! Você nem é economista! Por que você acha que pode escrever sobre economia?"

Tenho certeza de que coisas assim já aconteceram com você. Agora, por exemplo, você está aqui, dando um duro danado para consertar sua vida financeira pra sempre, decidido(a) a comprar roupa em brechó e a levar marmita para o trabalho, e vem alguém e diz:

"Mas vai comer marmita? Não vem para a praça de alimentação do shopping com a gente?"

Ou:

"Brechó, credo! Lá só tem roupa de morto!"

Pois essas são as pessoas-âncora. Elas nem sempre agem

assim por mal. Muitas vezes, elas gostam de você, gostam muito, até, e projetam em você o medo que elas próprias têm do fracasso (por isso muitas me diziam para não sair da emissora de TV onde eu trabalhava). Do ponto de vista prático, porém, o resultado é o mesmo: essas pessoas te puxam para baixo e travam o seu crescimento pessoal e profissional.

As pessoas-foguete fazem o oposto. Elas te ajudam a crescer. Dão todo o suporte para as suas iniciativas mais ousadas sem deixar de fazer alertas ou recomendações úteis. Sempre têm um feedback bom na manga – o que não significa um sinal verde para o que você pretende fazer: "Olha, sua ideia é boa e vai dar certo, mas para isso você precisa tomar tal cuidado." Pessoas-foguete formam um cordão de proteção ao redor do seu sucesso. Hoje eu posso dizer que estou cercada de pessoas-foguete, a começar pelo meu marido, que me apoiou e incentivou quando eu criei o Me Poupe!, além de me orientar sobre a navegação no mundo digital, onde ele já tinha muita experiência e sucesso.

Pense nas pessoas-âncora da sua vida e nas pessoas-foguete.

Agora escreva os nomes delas aqui.

Pessoas-âncora   **Pessoas-foguete**

....
....
....
....
....
....
....

Agora eis o que você precisa fazer.

Pessoas-âncora: afaste-se delas. A melhor estratégia é bloqueá-las nas suas redes sociais e no WhatsApp.

"Nath, tem um problema: eu acho que minha mãe é uma pessoa-âncora. Não posso dar block nela."

Verdade, não pode mesmo. Mas pode restringir sua exposição a ela. O mesmo vale para o chefe, o colega de trabalho... Não dá para eliminar da sua vida nem se afastar totalmente, mas dá para limitar a importância e a influência que as opiniões deles exercem sobre você.

Tem uma tática superesperta que eu ensino para os pupilos nos meus cursos: quando o contato com uma pessoa-âncora for inevitável, antecipe-se aos comentários dela e faça perguntas. Induza-a a falar sem parar e não deixe que pergunte nada sobre a sua vida. Você parecerá tão interessada e ela falará tanto que não sobrará tempo para nenhum comentário negativo sobre você. Muita gente já testou essa tática e depois me deu o seguinte feedback:

"Nossa, Nath, parece até que a pessoa mudou comigo!"

Na verdade, ela não mudou. Você é que mudou e conseguiu transformar uma âncora em boia!

Pessoas-foguete: aproxime-se delas. Ligue hoje mesmo para, pelo menos, três pessoas-foguete com quem você não fala há seis meses. Pergunte como estão, conte o que você tem feito, peça conselhos. No mundo business, isso se chama networking – e é algo que deveríamos fazer sempre, mas nem sempre conseguimos, porque vivemos ocupados ou nem nos lembramos. A hora de acessar e manter viva essa rede de contatos é justamente quando você não está precisando (sua vida profissional vai bem, obrigada), e não quando está na pior (tipo: "Acabei de perder o emprego").

Vai lá, pega o celular e liga. Eu espero.

Ligou? Agora anote aqui os nomes dessas pessoas. Transforme isso em um hábito de evolução e de riqueza.

Para quem eu liguei hoje

1. ....
2. ....
3. ....
4. ....
5. ....

MEUS GASTOS DE HOJE

O quê	Quanto	Por quê	Onde	Como
	R$			
	R$			
	R$			
	R$			
	R$			
	R$			

Hoje eu fiz R$ .... de renda extra!

NO DIVÃ

Quando se trata dos meus sonhos, eu me comporto como âncora ou foguete? Por quê?

....
....
....

DIA 23

__/__/__

FAZ UM NATHFLIX: ONDE INVESTIR

Tempo: o dia inteiro

A essa altura você já entendeu que tem uma coisa que eu chamo de fermento da vida financeira, e essa coisa é educação.

Eu sei que tudo o que você conseguiu até agora é imenso. Está sendo um desafio, talvez o maior da sua vida, e se você chegou até aqui com sucesso, tem toda a minha admiração.

Mas o que vai levar você adiante é a educação. E não estou falando da faculdade. Estou falando daqueles 5% da sua renda que pedi para você reservar para livros, cursos, webinars – tudo o que vier para melhorar as suas habilidades e capacitar você para ser um profissional melhor e cada vez mais desejado pelo mercado. É isso que vai fazer a sua vida financeira crescer como um bolo preparado com fermento de boa qualidade.

Vamos começar agora mesmo e, melhor, hoje será de graça. Quero te convidar a fazer um Nathflix.

Não sabe o que é? Kkkk

Quero que você entre no canal Me Poupe! no YouTube e assista aos vídeos que vou indicar. Eles vão te preparar para a sua próxima grande conquista: o primeiro investimento para realizar as suas metas, metinhas e metonas.

Veja os vídeos com atenção, anote (ajuda a fixar a informação, tem estudos que comprovam isso!) e comece, desde já, a pensar no investimento que tem mais a sua cara.

Para encontrar os seis vídeos que listo a seguir, basta digitar o título deles no YouTube:

- **Guia bem básico pra começar a investir com pouco dinheiro!**
- **Onde investir pra cada meta de vida!**
- **Como investir com qualquer salário?**
- **3 investimentos que você tem de fazer.**
- **Como começar a investir? Passo a passo prático e completo!**
- **Ações para iniciantes: 5 passos práticos pra investir agora.**

E aí, foi bom pra você? Mas pode tirar o cavalinho da chuva porque não vai ficar só nisso, não.

Depois do Nathflix, vamos testar os seus conhecimentos. Faça de conta que é o Enem. ;)

Recordando: lembra dos 30 dos 70/30? Dos três quadradinhos do total de dez? Pois bem. 10% do que você ganhou devem ir para a sua aposentadoria e 20% para os seus objetivos de curto, médio e longo prazo. Se você ainda não tem uma reserva de emergência, ela deve ser a sua primeira meta, lembra do que falamos no **Dia 18**?

Para ajudar a fixar o que você aprendeu nos vídeos, vamos fazer um resuminho:

TESOURO SELIC: é o dinheiro que você empresta para o governo, que te "recompensa" com base na taxa Selic. É sempre preciso fazer as contas para ver se vale a pena. Até 10 mil reais, você só paga o imposto de renda sobre o que rendeu. A partir de 10 mil, além do IR, você paga uma taxa anual para a B3 só para fazer o investimento.

Quando a Selic está baixa, como ao longo de 2020, costuma ter coisa melhor dando sopa por aí. É seguro e conservador.

TESOURO IPCA: remunera o investimento com base na inflação mais uma taxa que é combinada quando você bota lá o seu dinheiro. Ou seja, ele sempre ganha da inflação. Como a inflação também anda baixa e você ainda paga IR e a taxinha da B3, precisa fazer as contas para ver se, no momento atual, não tem nada rendendo mais. É seguro e conservador.

CDB, LCI E LCA: são formas de emprestar dinheiro aos bancos, com prazos para resgate que podem variar muito. Os de longo prazo pagam melhor, claro, e por isso eles podem combinar com metonas. Têm perfil mais conservador. LCI e LCA não pagam imposto de renda.

FUNDOS DE RENDA FIXA: são pacotes de investimentos que misturam várias aplicações em renda fixa. Não sou muito chegada neles por causa do "come-cotas", o imposto de renda que come parte do seu lucro duas vezes ao ano.

FUNDOS MULTIMERCADO: são um balaio de investimentos que pode ter de tudo: ações, títulos públicos e privados e até participação em outros fundos. Quem decide onde aplicar é o gestor do fundo. Têm um risco um pouco maior, mas podem garantir rentabilidades muito mais interessantes. Perfil de moderado a agressivo.

FUNDOS DE AÇÕES: são indicados pra quem quer entrar no mundo das ações, mas não sabe por onde começar. Os fundos de ações precisam ter no mínimo 70% da sua carteira aplicada em ações de empresas. É uma maneira de você ter participação em várias empresas em um único lugar. São fundos de risco elevado e por isso você: 1) tem que ter frieza para aguentar o tranco

116

quando cair; 2) tem que dar tempo pra esse investimento dar o melhor dele, ou seja, não pode ser de hoje pro mês que vem. Para quem tem um perfil mais agressivo.

FUNDOS IMOBILIÁRIOS: aplicam os recursos captados em diversos tipos de investimentos imobiliários, tipo prédios comerciais, shopping centers, hospitais. É como se você tivesse um pedacinho de um imóvel ou de vários, mas alguém (um gestor) se ocupasse de cuidar dele pra você. Como qualquer investimento de renda variável, ele tem um risco, pois depende da oferta e procura dos bens em que os gestores escolhem investir. Uma vantagem desse tipo de fundo é que ele costuma pagar aluguéis mensalmente aos donos das cotas. É como ser dona ou dono de um imóvel que está alugado. Indicado pra quem quer diversificar investimentos após a reserva de emergência.

AÇÕES: são frações de uma empresa que podem ser compradas ou vendidas via Home Broker, o shopping center das ações. Muitas das empresas cujos produtos você consome no dia a dia têm capital aberto na Bolsa de Valores e, a partir de 10 reais (ou até menos), você já pode ter uma parte delas para chamar de sua. Saiba que as ações das empresas se valorizam e desvalorizam o tempo todo. Basicamente, a regra é: comprar na baixa e vender na alta e montar uma carteira de ações que combine com os seus objetivos. O risco é alto pra quem não sabe o que está fazendo.

IMPORTANTE: para ter acesso a bons investimentos, você precisa abrir uma conta em uma corretora de valores. Bancos não são indicados para investir. Lugar de investimento é na corretora. Vamos falar disso no Dia 31. Mas também fique de olho no Me Poupe! porque sempre indicamos corretoras seguras por lá.

Agora que você já sabe um pouco mais sobre como aplicar o seu dinheiro, analise o quadro a seguir e ligue cada meta ao investimento adequado para alcançá-la mais rapidamente. Pode escolher mais de uma alternativa.

Sonho	Investimento
Casa ou apartamento ○	○ Tesouro Selic
Viagem ○	○ Tesouro IPCA
Carro ou moto ○	○ CDB
Filhos ○	○ LCI/LCA
Independência financeira ○	○ Fundos de renda fixa
Empreender ○	○ Fundos multimercado
Quitar dívidas ○	○ Fundos de ações
Reserva de emergência ○	○ Fundos imobiliários
	○ Ações

O resultado está na página 168. Acertou? Parabéns! Estou muito orgulhosa. Você é um mepoupeiro dedicado e está pronto para enriquecer licitamente! Não acertou? Volta lá na playlist ou entra no meu canal para ver mais vídeos sobre como aplicar bem o seu dinheiro.

Xô, preguiça!

MEUS GASTOS DE HOJE

O quê	Quanto	Por quê	Onde	Como
	R$			
	R$			
	R$			
	R$			
	R$			
	R$			

Hoje eu fiz R$ .... de renda extra!

O segredo das mentes milionárias é...

....
....
....
....
....

DIA 24

___/___/___

ELIMINE PRODUTOS RUINS

Tempo: 1h30

Hoje é dia de faxina.
"Minha musa das finanças impecáveis, eu não vim preparado(a) para isso hoje!"

Não precisava. A faxina de hoje é para limpar não a sujeira da casa, e sim da sua vida financeira. Hoje você vai se livrar de produtos bancários ruins.

TÍTULO DE CAPITALIZAÇÃO

Sob o disfarce de "fazer uma poupança", "resgatar o valor investido no final" (o que nem sempre é verdade) e "concorrer a prêmios", o gerente de banco empurra pra você o segundo pior produto financeiro do banco disfarçado de oportunidade. Título de capitalização não é investimento – é sorteio!

Se você caiu nessa armadilha e está arrependido, pode simplesmente deixar de colocar dinheiro novo no título e esperar até o final para retirar o que ficou lá. É isso mesmo que você ouviu: pare de pagar AGORA. Em geral não vale a pena resgatar tudo antes do prazo porque você terá que pagar uma multa e vai perder dinheiro. Mas isso varia de acordo com o cenário. Se você estiver muito no início, pode até ser interessante tirar para investir de verdade, mas antes de escolher o investimento faça uma simulação para avaliar o que é melhor no seu caso.

CONSÓRCIO

Você acabou de ler que título de capitalização é o segundo pior produto financeiro do banco para você, lembra? Pois o primeiro no quesito "cilada disfarçada de oportunidade" é o consórcio. Eu sei que o Sidinelson, um sujeito sedutor, bom de lábia, vai te dizer: "Olha que incrível, Joaquina: todos os meses você paga uma parcela que cabe no seu bolso, bem menor que a parcela do financiamento, não dá entrada, não paga juros e pode ser contemplada ou dar o lance! Aí o carro/a casa/o celular (hoje tem consórcio pra tudo) é seu!" E Joaquina cai nesse papo.

Pois saiba, Joaquina, que além das parcelas você pagará uma taxa de administração bizarra (de 15% a 20% do valor total da carta), um seguro e mais algumas "taxinhas" que nenhum gerente informa no momento da contratação do consórcio. Uma vez, no Me Poupe!, a Camila, uma repórter, gravou um chat com um Sidinelson de verdade e apurou o seguinte: para uma carta de crédito de 100 mil reais, o total de taxas obrigatórias para o consorciado era de 34 mil reais. Isso mesmo que você leu! Quer ver esse vídeo? Chama-se **4 investimentos que não são investimentos.** *Tá aqui:*

Caso você esteja pagando um consórcio neste exato momento e ainda não tenha sido contemplado(a), você tem três alternativas:
- Pode parar de pagar e esperar o final do seu grupo para receber o dinheiro de volta.
- Pode cancelar o consórcio e pedir o dinheiro de volta, o que vai acarretar perdas no valor total já pago.
- Pode tentar revender a sua carta de crédito a terceiros.

Se a sua carta está contemplada mas você ainda não fez jus ao seu "prêmio", também pode passar a carta adiante. Quem já está usufruindo do bem consorciado não tem nada a fazer a não ser aprender com o erro.

POUPANÇA

Atire a primeira pedra quem nunca deixou um dinheirinho na poupança, velha conhecida dos brasileiros... Tão simples, tão fácil e tão ruim!

A poupança paga muito mal pra quem deixa o dinheiro lá "rendendo", mas é uma maravilha para os bancos, que usam boa parte da poupança para emprestar dinheiro a juros altos para outras pessoas. Eles ganham muito, você quase nada. Negócio maravilhoso... para o banco.

Xô, roubada!

O quê	Total aplicado	Banco	Taxa de cancelamento	Vencimento
Título de capitalização	R$			
Consórcio	R$			
Poupança	R$			

! *E já que estamos no modo faxina, aproveite para se livrar também de pessoas tóxicas. Aqui só tem um probleminha: a pessoa mais tóxica da sua vida financeira pode ser... você.*

"Nossa, Nath. Essa doeu."

Eu falo para o seu bem. Todo mundo tem um quê de pessoa tóxica consigo mesmo. Isso acontece sempre que você usa o cartão de crédito e faz mais uma parcela mesmo sabendo que não tem dinheiro na conta, ou quando fala pra si mesmo(a): "Isso não é pra mim, eu nunca vou conseguir investir."

Quando a gente se livra de hábitos ruins e coloca hábitos positivos no lugar deles, está deixando ir embora a parte tóxica de nós mesmos. Lembre-se: todo mundo tem um lado que precisa ser trabalhado. O que você tem que fazer é adestrar esse seu lado para que ele não te sabote mais.

MEUS GASTOS DE HOJE

O quê	Quanto	Por quê	Onde	Como
	R$			
	R$			
	R$			
	R$			
	R$			
	R$			

Hoje eu fiz R$ _____ de renda extra!

AGORA VAI!
Três hábitos negativos que vou cortar da minha vida:

1. _____
   _____

2. _____
   _____

3. _____
   _____

DIA 25

__/__/__

SERÁ QUE EU GANHO BEM OU MAL?

Tempo: 2 horas

O assunto hoje é trabalho.
Não importa o que você faça, não importa quanto você ganhe, a sua tarefa hoje é pesquisar quanto recebem outras pessoas que realizam o mesmo serviço que você.

"Ah, mas como é que eu faço isso, minha musa da riqueza?"

Bom, você pode dar um google. Vários sites oferecem informações sobre faixas salariais. Porém, o que eu recomendo mesmo é que você pergunte. Se houver outras pessoas na sua empresa que ocupem o mesmo cargo ou tenham a mesma função, puxe conversa. "Joaquina, eu tenho pensando muito sobre o meu salário e acho que ele pode estar defasado. Por isso, resolvi fazer uma pesquisa de mercado. Quanto você está ganhando hoje? Eu estou recebendo 1.500 reais líquidos."

Se você é autônomo, informe-se sobre quanto cobram pessoas que oferecem os mesmos produtos ou vendem o mesmo serviço que você.

Observe que fazer a pergunta acrescentando a ela a informação sobre o seu salário ou o valor do seu serviço passa a ideia de troca e facilita o caminho para você e para a outra pessoa.

Se não houver um par na sua empresa, informe-se sobre como é a política salarial de outras companhias. Entre em contato com algum colega que trabalhe na concorrência. Explique que você está passando por uma fase intensa e produtiva de reprogramação financeira e faz parte do processo saber se o seu salário está no patamar adequado. Tente descobrir as faixas salariais praticadas na sua área. Idem se você for autônomo.

Pergunte ao máximo possível de pessoas para ter um panorama bem completo. Depois escreva aqui:

Eu ganho R$ ....
A média salarial da minha função é R$ ....
Eu ganho .... **% (a mais/a menos) do que a média de mercado.**

"Ah, Nath, mas eu não tenho coragem de perguntar. Morro de vergonha. É ser indiscreto!"

Eu já ouvi isso milhares de vezes e já diagnostiquei: é sintoma de dinheirofobia grave, como se falar sobre dinheiro fosse tabu, pedir aumento fosse uma audácia e dividir a conta fosse feio. Se você leu meu primeiro livro, vai se lembrar do primeiro dos 10 passos para nunca mais faltar dinheiro no seu bolso:

PASSO 1: Fale sobre o dinheiro antes de o dinheiro faltar (e ele não vai faltar).

Fale sobre dinheiro com naturalidade, de maneira positiva. Dinheiro não é sujo. Ser próspero não é defeito. Enriquecer (honestamente) é mérito. Saber se o que você ganha é compatível com o mercado é justo e lícito. Não tem lei contra isso. Não é falta de educação. E se ninguém faz isso, ou se faz com desconforto, é porque tem o vírus da dinheirofobia e precisa se tratar.

Com este guia, você está se curando da dinheirofobia na prática. Por isso cada missão cumprida coloca você mais perto do enriquecimento e da realização das suas metas, metinhas e metonas. Parabéns: você é foda!

"Mas, Nath, na minha empresa é proibido falar sobre salário. Se eu começar a perguntar, podem me demitir!"

Bom, nesse caso, haja conforme as regras da sua empresa e busque informações fora. Sites de recrutamento, como a Catho, podem te ajudar a ter parâmetros realistas. Mas atenção: muito cuidado com os nomes dos cargos. Um assistente de RH da empresa X pode ter mais responsabilidades que na empresa Y, e isso pode fazer com que o salário pago pelo mesmo cargo nas duas empresas seja diferente. Lembre-se que quanto maior a responsabilidade, maior deve ser a sua remuneração.

Por hoje é só. Amanhã a gente ataca o resultado da sua pesquisa. Mas não vá embora sem antes registrar aqueles números importantes pro nosso projeto Riqueza Vem Ni Mim. (A essa altura você já se acostumou a preencher o relatório de gastos e renda extra, né? É bom mesmo, porque esse é um ótimo hábito para a vida toda!)

MEUS GASTOS DE HOJE

O quê	Quanto	Por quê	Onde	Como
	R$			
	R$			
	R$			
	R$			
	R$			
	R$			

Hoje eu fiz R$_____ **de renda extra!**

Nunca vou desistir de...

....
....
....
....

EU MEREÇO O QUE GANHO OU GANHO O QUE MEREÇO?

Tempo: 45 minutos

Enfim chegou a hora da verdade. Hoje você vai fazer uma autoavaliação do seu trabalho.

Vai olhar para dentro e começar a enxergar que o seu maior concorrente é você mesmo(a).

É supercomum a gente olhar para fora, se comparar com um colega em posição de liderança e questionar as competências técnicas e éticas daquela pessoa. Perda de tempo.

Responda com sinceridade: quantas vezes você mediu o seu desempenho, pegou feedback sobre o seu trabalho ou analisou indicadores de resultado individuais?

Eu sei, ninguém faz isso. E é justamente porque ninguém faz que você vai começar a fazer hoje! Ah, que festa da inovação!

O que eu preciso agora é de imparcialidade. Faz de conta que você é uma amiga sua, daquelas bem sinceras, sabe? E é ela quem vai te avaliar. A ideia aqui é garantir um olhar "de fora" sobre você. Isso sempre ajuda a ter mais pragmatismo nas avaliações.

Bora começar!

1. Das tarefas que você realiza no dia a dia do seu trabalho, quantas você já realizava há dois anos?
- (a) Nenhuma. Mudei de área e não faço mais o que eu fazia. Tenho outros desafios.
- (b) A minoria. Meu escopo de trabalho evoluiu muito nos últimos anos.
- (c) Meio a meio. Tem muita coisa que continuo fazendo, mas ganhei novas responsabilidades.
- (d) A maioria. Ganhei poucas responsabilidades novas.
- (e) Todas. Faço exatamente a mesma coisa que fazia há dois anos.

2. Quando foi a última vez que você perguntou à sua liderança ou aos seus clientes como eles avaliam o seu trabalho?
- (a) Há menos de três meses. Sempre peço feedbacks para saber como posso melhorar.
- (b) Há mais de três meses, mas menos de um ano.
- (c) Sempre que lembro pergunto se gostaram do meu trabalho.
- (d) Não me sinto confortável perguntando.
- (e) Nunca pergunto nada. Apenas faço meu trabalho.

3. Com quantas pessoas você mantém contato direto por telefone, e-mail ou WhatsApp, pelo menos uma vez por mês, fora a sua família?
- (a) Mais de 20.
- (b) Entre 15 e 19.
- (c) Entre 6 e 14.
- (d) Entre 1 e 5.
- (e) Nenhuma.

4. Qual o seu grau de comprometimento com o trabalho?
(a) Total, o trabalho é minha vida.
(b) Sou proativo e estou sempre em busca da excelência.
(c) Faço o que me pedem com dedicação.
(d) Faço apenas o que me pedem.
(e) Baixíssimo, não me sinto motivado.

5. Quando foi a última vez que você recebeu um elogio pelo trabalho executado?
(a) Recebo elogios todo dia.
(b) Esta semana ou semana passada.
(c) Faz mais de um mês.
(d) Não consigo me lembrar.
(e) Nunca elogiam o meu trabalho.

6. Como você reage às críticas de seus superiores ou às reclamações dos clientes?
(a) Não costumo receber críticas, mas, quando recebo, encaro como um aprendizado.
(b) Avalio se têm fundamento e, em caso positivo, começo a trabalhar para melhorar.
(c) Acho que estou sendo vítima de perseguição e tento rebater as críticas.
(d) Me sinto num beco sem saída, só penso em largar tudo.
(e) Choro.

7. Como é a sua produtividade?
(a) Alta, com foco no que é mais importante.
(b) Sou produtivo e preocupado com os prazos.
(c) Vivo sobrecarregado e não consigo administrar minhas tarefas.
(d) Estou sempre atrasado e correndo atrás do prejuízo.
(e) Não consigo entregar nada no prazo.

8. Qual foi a última vez que você recebeu uma promoção?
(a) No último ano.
(b) Nos últimos dois a três anos.
(c) Não sei fazer meu marketing pessoal e acabo sendo esquecido.
(d) Nem quero, tenho medo de novos desafios.
(e) Nunca fui promovido.

9. Você investe no seu aprimoramento profissional?
(a) Claro, leio, converso com mentores e estou sempre de olho em cursos, palestras e workshops.
(b) Já fiz alguns cursos on-line.
(c) Trabalho muito e quase não me sobra tempo para isso.
(d) Já domino o que faço, não acho necessário.
(e) Nunca pensei nisso.

10. Você se relaciona bem no ambiente de trabalho?
(a) Sim, em todos os níveis.
(b) Me relaciono bem com a chefia, mas nem tanto com os meus pares.
(c) Prefiro trabalhar quieto e só peço ajuda quando necessário.
(d) Trabalho com muita gente desinteressante, não me sinto estimulado.
(e) Não sei por que meu chefe não gosta de mim.

RESULTADO

Mais respostas A: Você já está no caminho certo e muito provavelmente é uma pessoa que se destaca na empresa onde trabalha ou junto aos seus clientes. Seu senso de pertencimento e responsabilidade é invejável e você consegue extrair informações importantes para a sua evolução pessoal e profissional. Você não é uma pessoa que se abala com críticas negativas e usa as reclamações como combustível para melhorar a sua entrega.

Mais respostas B: Com um pouco mais de dedicação aos detalhes, você vai acelerar o seu crescimento profissional. Quando eu digo "detalhes", estou me referindo ao conteúdo que você lê, às pessoas que você segue nas redes sociais, aos amigos mais próximos e, principalmente, ao acompanhamento da sua evolução profissional.

É importante que você passe a agir de forma mais ativa junto aos seus colegas e clientes e busque feedbacks sinceros que vão te ajudar a usar o seu tempo de maneira mais produtiva.

Mais respostas C: Quando você está animado(a), ninguém te segura. Parece até que o mundo fica cor-de-rosa e tudo se encaixa. Mas aí vem uma maré de "azar", seu tempo fecha e parece que nada dá certo... Felizmente essa maré de azar não existe. Não foi o mundo que parou de olhar pra você com bons olhos, foi você que parou de agir de forma proativa esperando que o Universo lhe entregasse resultados de bandeja.

Mais respostas D ou E: Cumprir este desafio é uma enorme prova de que você é capaz de mudar e que está buscando ser a diferença. Você precisa entender que o mundo não é o culpado pela sua situação e que, se não se ajudar, ninguém vai fazer isso por você.

! *Aqui estão duas tarefas importantes para melhorar seu desempenho, principalmente se você marcou mais respostas C, D ou E.*

TAREFA 1: Busque estar mais perto de pessoas com planos e projetos para o futuro. Sabe aquelas pessoas que sabem tanto o que querem que te irritam? Pois é... Elas são irritantes justamente porque têm o que você não tem: planejamento e pensamento de longo prazo. Tente aprender um pouco com elas.

Anote a seguir o que conseguiu extrair de bom desses encontros.

....
....
....
....
....
....
....

Além disso, dê uma bloqueada nos tipos fofoqueiros que vivem reclamando do trabalho, da sogra, da mãe, dos clientes... Eles não vão te ajudar a produzir mais nem a ter mais sucesso. Como diz o megainvestidor Warren Buffett, "Não é possível fazer um bom negócio com uma pessoa ruim". Simples, prático e eficaz.

TAREFA 2: Coloque no papel ao menos um comportamento proativo que você precisa cultivar diariamente, semanalmente e mensalmente.

Exemplos:
- Ler pelo menos um jornal por dia.
- Contatar no mínimo um cliente, líder ou gestor por semana para perguntar como ele(a) está e se precisa de ajuda com alguma coisa.
- Reunir-se com pelo menos duas pessoas que admira por mês.
- Fazer um curso de aprimoramento.

Cultivando bons hábitos

Comportamento	Frequência		
	Diário	Semanal	Mensal

MEUS GASTOS DE HOJE

O quê	Quanto	Por quê	Onde	Como
	R$			
	R$			
	R$			
	R$			
	R$			
	R$			

Hoje eu fiz R$ _____ *de renda extra!*

De 1 a 10, com base na minha autoavaliação, eu me dou nota:

1	2	3	4	5	6	7	8	9	10

DIA 27

ESPELHO, ESPELHO MEU
Tempo: 1 hora

Você vai achar que eu acordei fofa, e acho que acordei mesmo.

Isso porque a sua tarefa de hoje é muito meiga. Eu chamo o que você fará hoje de exercício do espelho versão Nath.

Essa prática se inspira claramente no exercício do espelho da Louise Hay, uma autora americana que, nos anos 1980, lançou um best-seller chamado ***Você pode curar sua vida***. Para Louise, a gente deve se olhar no espelho todos os dias e dizer para a nossa imagem: "Eu te amo." Esse mantra tem o poder de melhorar a nossa energia interior. Louise conquistou muitos "seguidores" numa época em que as redes sociais nem existiam.

Ontem você fez uma autoavaliação meio dura para entender se seu desempenho no trabalho é bom ou ruim – o primeiro passo para poder pensar em pedir um aumento. Hoje você vai continuar aprimorando seu autoconhecimento, mas de outra forma: olhando para quem você é como um todo.

Na primeira vez que você fizer esse exercício, talvez sinta um pouco de vergonha, ache tudo um pouco estranho, ridículo até. Mas o fato é que muita gente se beneficiou e continua se beneficiando da sugestão de Louise.

A versão Nath é um pouquinho diferente.

Você precisará de um espelho, de preferência de corpo inteiro. E do "eu" mais sincero que puder incorporar. Funciona melhor se estiver apenas você.

Posicione-se diante do espelho. Deixe os braços soltos ao lado do corpo, movimente levemente a cabeça. Relaxe. Não vai doer nem arrancar pedaço, prometo. Olhe bem dentro dos seus olhos e, com muita honestidade, comece uma conversa com a sua imagem.

Fale em voz alta ou use a linguagem de sinais, caso você seja deficiente auditivo. Não guarde as palavras na cabeça, deixe que elas saiam.

Se quiser, pode começar por tudo aquilo que você não gosta em você, atitudes que gostaria de ter evitado, hábitos que sabe que não te ajudam. Depois fale tudo o que mais admira em si mesmo(a). Relembre momentos em que você mostrou coragem, sinceridade, garra, disciplina, compaixão... E, por fim, diga em voz alta os novos comportamentos que você espera que a pessoa diante do espelho tenha e quais são as forças que vão tornar isso possível.

Eu, por exemplo, repito todo dia pra mim diante do espelho:

"Você é capaz de mudar o mundo. Tenha eloquência, paz, foque em quem precisa de ajuda e tudo vai dar certo."

Se der vontade de chorar, chore. É muito bom ouvir que a gente é capaz, que a gente pode tudo. Termine o exercício com um autoabraço bem forte. Se quiser, pode repetir essa atividade todo dia.

Ah! Assim que terminar, volte aqui pra preencher esta tabela marota de gastos e finalizar as tarefas do dia!

MEUS GASTOS DE HOJE

O quê	Quanto	Por quê	Onde	Como
	R$			
	R$			
	R$			
	R$			
	R$			
	R$			

Hoje eu fiz R$ .... **de renda extra!**

Eu me amo porque...

....
....
....
....
....

HORA DE GANHAR MAIS

Tempo: 1 hora a 3 dias

Os últimos três dias foram uma preparação para você chegar aqui. Primeiro você verificou se seu salário – ou o que ganha como autônomo por seus serviços ou produtos – estava acima ou abaixo da média de mercado. Depois se autoavaliou para ver se entrega tudo que é esperado no trabalho. Ontem foi dia de olhar para suas qualidades e defeitos, buscar força dentro de você e se amar pelo que é e por tudo que fez até agora.

Hoje vai ser um abalo sísmico na sua vida e nas suas convicções. Se, mesmo com um ótimo desempenho, você ganha menos do que seus pares, **vai ter que pedir aumento** – ou, se for autônomo, **buscar formas de cobrar mais por seus serviços ou produtos**. Só existem duas situações em que você terá que pensar se este é o momento certo para isso: se o seu salário – ou o preço dos seus serviços ou produtos – já está acima da média de mercado ou se você acredita que não está indo bem no que faz. Nesses casos, também não tem moleza. **Você vai ter uma conversa com o seu chefe ou mudar seu comportamento.** É preciso preparar o terreno para ganhar mais neste ou em outro emprego e buscar meios para chegar o mais rápido possível até a Riqueza.

"Nath, sinto muito, mas agora deu. Você já me fez dizer que eu me amo, dar block na minha mãe porque ela é âncora, esquecer o cartão de crédito, e eu obedeci. Mas me mandar pedir aumento é demais. Quando meu chefe achar que eu mereço, ele vai aumentar meu salário sem eu pedir!"

Eu adoraria dizer que essa é a realidade dos leitores e leitoras deste guia prático, mas infelizmente não é. Na vida real as empresas têm dificuldade em medir desempenho e em acompanhar de perto a evolução de cada funcionário, e é aí que surge uma grande oportunidade. Se a empresa não mede o seu desempenho, você pode medi-lo e mostrar quanto evoluiu (desde que você tenha evoluído e melhorado seus resultados, claro).

Lembre-se: empresas precisam gerar lucro para continuar pagando seu salário, e quanto mais você for capaz de aumentar o lucro delas, maior será a sua chance de conquistar um aumento.

Estou dizendo umas verdades meio amargas, eu sei, mas alguém tinha que te contar, e melhor que seja eu.

Acalmou? Ufa, que bom! Vamos em frente.

Pedir aumento é uma arte. Não é só chegar e ir pedindo. Tenho cinco dicas matadoras para você se preparar para esse momento e alcançar o seu objetivo:

1. Conheça a saúde financeira da sua empresa. Isso é superimportante e quase ninguém faz. Se a empresa está mal das pernas, como é que ela vai te dar aumento? Fique de olho nos sinais, faça perguntas discretas, converse mais com as pessoas do financeiro e demonstre preocupação genuína com a situação da empresa, colocando-se à disposição para colaborar. Você vai se surpreender com o poder da palavra **colaboração** em ambientes corporativos.

2. Entenda a lógica dos salários da sua empresa. Nos últimos tempos, quem ganhou aumento? Por que essa pessoa foi recompensada – o que ela fez/faz para isso? Fuja das fofocas de corredor e espelhe-se em quem está se dando bem.

3. Coloque-se no lugar de quem decide: se você fosse seu chefe, aumentaria o seu salário? Essa é uma pergunta difícil de responder. Não é fácil pensar no nosso trabalho como fonte de riqueza para a empresa, mas é assim que funciona. Compreender essa dinâmica será um belo avanço para a sua carreira. Empresas,

vale lembrar, buscam resultados positivos de maneira agressiva, aumentando faturamento, enxugando custos, botando metas lá em cima, etc. Se você ajuda sua empresa a alcançar esses resultados, está a um passo do seu aumento.

4. Faça mais do que o esperado. Mas faça por você, não pelo aumento. Talvez você ache que já está se matando de trabalhar e ninguém reconhece. Pode até ser que a sua empresa não esteja nem aí para o seu esforço, para o seu trabalho árduo. Isso acontece. Mas pode ser que todo o seu esforço não gere os resultados que a organização espera. Releia a dica 3 e preste atenção neste ensinamento reconfortante: quem usa a empresa como palco para desenvolver seus talentos e habilidades pode até não receber aumento de imediato, mas certamente se qualifica para coisa melhor no futuro.

5. Junte provas de que o seu trabalho ajudou a empresa a crescer. Ninguém vai lhe dar aumento só porque você é gente boa, trabalha até tarde ou responde WhatsApp no fim de semana. Se esses gestos não estiverem de alguma maneira conectados com resultados positivos para a empresa, seu esforço terá sido em vão. Mostre que você sugeriu medidas que aperfeiçoaram o produto ou serviço oferecido, aumentaram a produtividade, trouxeram novos clientes, diminuíram gastos sem perder qualidade, fizeram a organização economizar. Monte um dossiê. É como eu sempre digo: os números não mentem jamais!

Só quando tiver reunido todas essas respostas e informações você estará pronto(a) para pedir um aumento. Ok, eu entendo que talvez você precise de um tempinho para preparar o seu dossiê. Se for o caso, você pode adiar essa tarefa por dois ou três dias, não mais. Porém, tem que começar a se preparar hoje. Assine aqui para selar o nosso acordo:

TERMO DE COMPROMISSO

Eu, ...,
me comprometo a pedir aumento assim que
tiver informações suficientes para embasar
o meu pedido. Estou ciente de que a resposta
pode ser negativa e me comprometo
a aprender com essa experiência.

Data: ..../......../........

....
(assinatura)

Já que eu fui muito fofa e te dei um respiro, aproveite o dia de hoje para praticar. Chame um amigo e peça a ele para fazer o papel do chefe. Ensaie suas falas. Oriente seu amigo a negar e a argumentar, preparando você para o cenário mais difícil. Boa sorte! 🍀🍀🍀🍀 Depois, volte aqui e registre:

Eu consegui .... % de aumento hoje! Aêêêêê!

Ao trabalhar no seu dossiê pré-pedido de aumento, é possível que você fique na dúvida se, no lugar do seu chefe, daria ou não um aumento para você.

Para situações assim, eu previ uma conversa bem esclarecedora com seu chefe, um pedido de feedback.

Algumas empresas até têm processos para isso, mas a maioria, especialmente as pequenas, não se preocupa em avaliar o desempenho do funcionário e dizer o que espera dele nos próximos meses ou semanas. Por isso, sua tarefa será perguntar ao seu superior o que você está fazendo bem e o que precisa melhorar. Como pode contribuir mais para o crescimento da empresa? Talvez ele ou ela diga que você precisa mostrar os resultados do seu trabalho de forma mais clara e frequente, quem sabe fazendo um relatório no final do dia, algo breve e objetivo. Então você faz o quê? Começa a apresentar relatórios diários, claro! E depois de um mês já terá um argumento para pedir o seu aumento. Entendeu a lógica?

> *"Puxa, que pena que essa tarefa não faz sentido para mim: sou autônomo, não tenho como me dar aumento..."*

Não tem mesmo? Por que será que tem pessoas que oferecem o mesmo serviço que você e ganham o dobro, o triplo ou até dez vezes mais? E nem são melhores, ou tão melhores assim. Ora, porque elas têm **reputação**. Isso é algo que, se você não tem, pode construir, e tem um vídeo lindo sobre isso no canal. Chama-se **Como cobrar mais caro pelo serviço de freela e autônomo (e receber em dia)**. *Veja aqui:*

Resumindo: tem um monte de coisas que você pode fazer, e que estão perfeitamente ao seu alcance, para se qualificar e passar a cobrar mais pelo seu trabalho. Comece mudando o seu perfil de PPP (Pequeno, Passivo e Perdedor) para GGG (Grande, Gerador de Valor e Ganhador).

Busque se diferenciar dos concorrentes. Ofereça um serviço de melhor qualidade, trate seu cliente de forma que ele se sinta único. Quanto mais profissionalismo você demonstrar, melhor será a sua reputação.

Você também não pode ter vergonha de cobrar pelos seus serviços. É o "produto" que você está oferecendo aos seus clientes, e ninguém imagina entrar numa loja, por exemplo, e sair de lá com um produto pelo qual não pagou.

> "Enquanto você não der valor ao seu trabalho, o seu cliente também não vai dar."
> *Arcuri, Nathalia*

Bom, claro que esse esforço todo de hoje não livra você das nossas tarefinhas de todo dia.

MEUS GASTOS DE HOJE

O quê	Quanto	Por quê	Onde	Como
	R$			
	R$			
	R$			
	R$			
	R$			
	R$			

Hoje eu fiz R$ .... de renda extra!

CAIU A FICHA
O que aprendi hoje?

....
....
....
....
....

DIA 29

___/___/___

EI, ME DÁ UM DESCONTO AÍ?

Tempo: 1 hora

Juro que não entendo por quê, mas a maioria das pessoas acha muito difícil pedir desconto.

Tem vergonha. Acha que não nasceu pra isso, age como se pedir desconto fosse uma ofensa, um ato de rebaixamento do serviço ou trabalho de outra pessoa... Pense comigo: ninguém vai oferecer um desconto de mão beijada, sem você pedir.

O "não" você já tem. Ora, custa tentar? Se der certo, é dinheiro a mais na sua conta. Se não der, no mínimo você vai pôr a cabeça no travesseiro à noite com a consciência tranquila por ter tentado.

"Mas, minha diva, não combinamos que, enquanto durar este programa de desfudência, não devo fazer nenhum gasto que não seja essencial? Para pechinchar, vou ter que comprar alguma coisa."

Lá vem você querendo achar um jeitinho de gastar... Vou explicar como a tarefa de hoje pode te ajudar sem que você precise gastar um centavo a mais do que havia previsto.

- Se você tiver alguma coisa indispensável para comprar, um remédio, por exemplo, peça desconto. Mesmo que não consiga. O que vale é exercitar esse "músculo" que a maioria faz de conta que não tem. Dê uma de maluco(a): peça desconto no almoço, no vendedor de coco no parque, onde for, sobre o que for. Mesmo que pareça esquisito, apenas... peça.

144

- Se você não for comprar nada (AÊÊÊÊÊ!), faça uma simulação. Entre em uma loja, pergunte o preço, peça desconto. Pratique para o dia em que for pedir pra valer.
- Nunca pergunte "se tem" desconto. Pergunte: "De quanto é o desconto?" Parta do princípio de que desconto sempre haverá, a questão é só de quanto.
- Pesquise o valor do bem que você pretende comprar. Assim você tem argumentos para baixar o preço.
- Mesmo quando você achar que já conseguiu o melhor desconto possível, chore mais um pouquinho. Em 2017, quando reformei a casa Me Poupe!, estive numa loja de material de construção que dava desconto de 3% à vista. De tanto pechinchar, cheguei a 10%. Tentei 12%, mas não deu.

E se o vendedor não der desconto?

Aí é com você. Se você tem o dinheiro reservado para aquela despesa, com aquele valor cheio, e se é realmente uma compra importante, se joga.

Conta como foi sua experiência aqui e o que você aprendeu com ela.

O dia em que pedi desconto

....
....
....
....
....
....
....
....
....
....

MEUS GASTOS DE HOJE

O quê	Quanto	Por quê	Onde	Como
	R$			
	R$			
	R$			
	R$			
	R$			
	R$			

Hoje eu consegui R$ _____ de desconto!

Hoje eu fiz R$ _____ de renda extra!

Minhas três estratégias preferidas para economizar são...

1. _____

2. _____

3. _____

UM DIA SEM RECLAMAR

Tempo: o dia inteiro

"Minha mestra das missões quase impossíveis, não estou te reconhecendo. Essa tá fácil demais! Tá com febre, é?"

Se você pensou isso, minha resposta para você é: hahahahahahahaha.

Apenas tente. E depois me diga.

Só lembrando: falar mal da colega é uma forma de reclamar (dela, a colega).

Ficar irritado porque começou a chover na hora de ir para casa é uma forma de reclamar (da chuva).

Se parar para pensar, você – eu também, não pense que sou um poço de racionalidade o tempo inteiro – reclama. E muito! Talvez a maior parte do tempo. Pois a missão de hoje, esta que você está achando tão simples, é das mais complicadas deste guia. A ideia é que ela faça você repensar sua atitude diante da vida.

Em 2006, Will Bowen, pastor de uma pequena comunidade no Meio-Oeste americano, propôs aos fiéis de sua igreja um desafio curioso: deveriam ficar 21 dias contínuos sem reclamar. Para Bowen, esse mau hábito era o maior obstáculo para a prosperidade. A ideia se espalhou e o pastor se tornou um dos maiores palestrantes do mundo, autor de vários livros sobre o tema – o mais famoso deles é **Pare de reclamar e concentre-se nas coisas boas**.

O pastor-palestrante criou um movimento chamado A Complaint Free World (que pode ser traduzido como "Um mundo sem reclamações"), cujo símbolo é uma pulseira que a pessoa deve mudar de braço sempre que "escorrega" e se queixa da vida. Bowen afirma que, quase sem perceber, reclamamos de 15 a 30 vezes por dia! Após os primeiros perrengues, os adeptos do desafio relataram sensações de bem-estar, melhora nos relacionamentos e mais otimismo.

Bem, e por que 21 dias? Porque, segundo a neurociência, esse é o tempo que nosso cérebro leva para romper com padrões de comportamento cristalizados e substituí-los por novos. O YouTube está bombando de gente que cumpriu o desafio dos 21 dias sem reclamar e conta como foi a experiência. Mas pode relaxar: nosso desafio aqui é ficar apenas um dia sem reclamar. E já vai ser osso. Se quiser adotar essa máxima para a vida, fique à vontade: o pastor Bowen garante que você só tem a ganhar.

Então, só por hoje: ficou com vontade de reclamar de alguma coisa? Engole a reclamação e cospe a solução.

Isso mesmo que você entendeu. Vai reclamar do calor? Tire a blusa (se puder), se abane, tome um banho gelado. Vai reclamar da chefe de novo? Crie um plano para encontrar uma nova chefe, vire chefe ou simplesmente tenha uma conversa franca com a chefe. Só não pode reclamar. A ideia aqui é: queixas não resolvem nada, então guarde a reclamação pra você e busque uma forma de solucionar o problema. Você tem potencial para encontrar jeitos criativos de se livrar daquilo que te incomoda!

Não se poupe de ser uma pessoa de mais ação e menos reação.

Para facilitar a sua vida, vou deixar aqui uma lista de reclamações frequentes pra você NÃO se inspirar, e saber que, sim, se falar algo nesta linha, estará reclamando:

"Nossa, que calor!"

"Não tenho dinheiro para nada."

"Essa internet tá lenta de novo?"

"Poxa, não tem nada para eu vestir hoje..."

"Pra você é fácil."

"Estou afundado(a) num mar de dívidas."

"Como é que você consegue comer/fazer/vestir, etc. isso?" (Naquele tom de julgamento, sabe?)

"Por que não comprei este livro antes?"

"Nossa, que trabalho chato."

"Que cliente chato!"

"Que chefe chata!"

Antes de dormir, escreva aqui se você conseguiu e como foi a experiência. Ah, e me conta também usando a hashtag **#UmDiaSemReclamar**. Não se esqueça de me marcar @NathaliaArcuri.

....
....
....
....
....

> **❗ Você daqui a algumas horas: "Nath, não tô conseguindo, já reclamei três vezes, quando percebi já tinha falado."**

Eu não disse que era osso? Mas olha: mesmo que você não tenha tido sucesso na tarefa de hoje, ela plantou uma sementinha para você adotar uma postura mais positiva e proativa. Gente próspera de verdade não fica reclamando do problema, parte em busca da solução.

Lembre-se: depois de hoje, MAIS AÇÃO E MENOS REAÇÃO!

E como foi o restante do seu dia?

MEUS GASTOS DE HOJE

O quê	Quanto	Por quê	Onde	Como
	R$			
	R$			
	R$			
	R$			
	R$			
	R$			

Hoje eu fiz R$.................................. de renda extra!

O lado bom da vida que eu só percebi hoje...

....
....
....
....
....
....

O PRIMEIRO INVESTIMENTO A GENTE NUNCA ESQUECE (NEM O SEGUNDO, NEM O TERCEIRO...)

Tempo: 1 hora

Faz oito dias que você fez o Nathflix, lembra?

Eu sei que você passou esses dias todos "marinando" a ideia de investir. Com ansiedade e um certo frio na barriga. Pois esse dia chegou. Hoje você vai fazer o seu primeiro investimento.

Meu coração disparou. Meu sovaco está suado. Estou emocionada. Sério.

Eu me arrepio de alegria porque investir é deixar um presente para a pessoa que você vai encontrar no futuro, em vez de deixar apenas dívidas. E não precisa ser um presente pra daqui a 10 anos, não! Pode ser um investimento para o mês que vem!

O primeiro passo pra isso é abrir uma conta numa corretora.

"Mas, Nath, hoje é sábado, domingo, feriado!"

Não venha com enrolação. Fim de semana não é desculpa. Ao contrário das agências bancárias, os sites das corretoras estão sempre "abertos".

"Mas, Nath, se eu já tenho conta em banco, por que preciso de conta em uma corretora de valores?"

Porque bancos são empresas maravilhosas para te emprestar dinheiro, mas deixam muito a desejar quando o assunto é te ajudar a ganhar mais dinheiro.

Aprenda esta lição e espalhe pra todo mundo: banco é lugar de pagar conta e fazer dívida; corretora é lugar de multiplicar dinheiro, ainda que hoje você tenha pouco.

As corretoras são como supermercados de investimentos. Você entra lá e escolhe o que quer, sem gerente desesperado para te empurrar produtos ruins. E são tão seguras quanto os bancos, pois também são fiscalizadas pela CVM, a Comissão de Valores Mobiliários. Recentemente algumas expandiram seus serviços e se transformaram em bancos digitais. Já é possível ter cartão de débito e até de crédito junto com a sua conta de investimentos.

No nosso site e no canal Me Poupe! no YouTube, eu e minha equipe sempre avaliamos as melhores corretoras pra você não ficar perdido(a).

"Tá, Nath, já entendi tudo sobre as corretoras, mas tem outra coisa... Será que vale a pena investir tão pouco?"

Claaaaaro!

Investir é fazer o seu dinheiro trabalhar pra você o tempo inteiro. Se você pode botar o seu dinheiro para trabalhar pra você agora, por que **não** faria isso? Ficaria esperando o quê?

"Ah, mas eu ouvi dizer que os juros estão muito baixos e as aplicações não estão rendendo nada!"

É verdade que os juros no Brasil caíram muito em 2020, mas lembre-se de que dinheiro bem investido é sempre melhor do que dinheiro parado. Verifique se a rentabilidade do investimento está superando a inflação, que desvaloriza seu dinheiro. Outra lição que você aprendeu neste guia é que precisa se informar sobre o cenário econômico para fazer boas aplicações. E o cenário muda o tempo todo.

⚠️ Bom, agora que você já tirou todas as suas dúvidas, escolha a corretora e preencha seu cadastro. Respire fundo e busque a tela com as possibilidades de aplicação. Hora de ir às compras, mas desta vez em nome da sua riqueza.

Caso você ainda não tenha uma reserva de emergência, sugiro que toda aquela grana do seu boleto pessoal vá direto para o Tesouro Selic ou para CDBs de liquidez diária que paguem no mínimo 100% do CDI. Lembre-se: é o seu primeiro investimento. Não crie a ilusão de que você vai ficar milionário(a) da noite para o dia. Você já chegou mais longe do que imaginava e tem dinheiro para investir, o que é uma vitória gigantesca!

Se tiver dúvidas sobre outras formas de investimento e diversificação, corra para o canal Me Poupe!, onde tem conteúdo gratuito, ou aproveite para entrar na minha próxima turma de um treinamento completo, feito pra quem quer ir além do básico e evoluir mais depressa. Todo ano tem turma nova e fico feliz de ter mais de 20 mil alunos espalhados pelo mundo.

Ao investir na sua reserva, lembre que, como você pode precisar desse dinheiro a qualquer momento para uma **emergência**, ele precisa estar sempre liberado para resgate.

A maioria das corretoras tem plataformas amigáveis, que te ajudam no percurso. Você precisará transferir dinheiro do seu banco para a corretora, mas isso é simples. Depois de fazer isso, com o valor já disponível na sua corretora, escolha o investimento que seja mais adequado às suas metas. Pense em tudo o que eu te ensinei aqui.

Sinta o gostinho de liberdade que vem quando você começa a preparar o seu futuro.

Sério: nessa hora, me dá vontade de chorar de emoção. Este é um momento épico. Obrigada por ter confiado em mim. Obrigada por ter chegado até aqui. Me conta como foi, quanto foi. Use a hashtag **#GuiaPraticoPrimeiroInvestimento**.

Ufa! Que dia lindo de viver!

MEUS GASTOS DE HOJE

O quê	Quanto	Por quê	Onde	Como
	R$			
	R$			
	R$			
	R$			
	R$			
	R$			

Hoje eu fiz R$........................ de renda extra!

Hoje eu investi R$........................!

Quem é o(a) milionário(a)/bilionário(a) que você mais admira? Por quê?

....
....
....
....
....

DIA 32

PROCURE ALGUÉM QUE PUXOU O SEU TAPETE E AGRADEÇA

Tempo: 30 minutos

Se você acordou se achando, pode se achar: você merece. Eu também estou te achando.

Hoje quero que você, com o coração cheio de gratidão, ligue para alguém a quem deve um agradecimento muito especial. Pegue o celular, aquele que tem um plano de dados superbem negociado, com 2 mil minutos grátis para qualquer operadora em todo o Brasil, e ligue para uma pessoa que te fez mal. Que tentou te ferrar.

Anote o que você vai dizer.

"Fulano, tudo bem? Aqui é a Joaquina. Então, hoje estou te ligando para agradecer por tudo o que você fez por mim. Faz tempo que eu te devo isso. Muito obrigada mesmo!"

"Joaquina, tá louca? Do que você está falando?"

Aí você vai relembrar a situação em que aquela pessoa puxou seu tapete e como aquilo serviu para você dar um novo rumo à sua vida. Se foi um ex-chefe, por exemplo, agradeça pela demissão que serviu para você descobrir a sua verdadeira vocação empreendedora. Se foi um namorado que você amava de paixão e te deu um pé na bunda, agradeça (*no hard feelings*, por favor) por ter feito você reconquistar sua autoestima e, assim, embarcar em relacionamentos mais saudáveis. Se foi um sócio que te passou uma rasteira, agradeça pela melhor aula que já teve na vida sobre a importância de se cercar de pessoas corretas.

Entendeu o espírito da coisa?

O grande segredo das mentes milionárias é ver o lado positivo mesmo nas piores situações. Esse aprendizado nos torna mais leves. É um hábito antigo que eu incorporei e que me ajuda a encarar os problemas como fases passageiras, desafios pontuais que se colocam diante de mim para que eu saia mais forte.

Não que seja fácil.

Agradecer a quem te ajudou é bico. Não custa nada dizer "obrigado" à pessoa que te indicou para um emprego, ao médico que acertou o remédio para a sua enxaqueca, ao amigo que segurou a onda quando você precisou. Mas agradecer a quem te ferrou é muito difícil, porque nem sempre conseguimos enxergar uma situação humilhante como uma oportunidade de aprendizado.

"Mas, Nath, o que isso tem a ver com finanças?"

Tudo. Segundo Daniel Kahneman, psicólogo vencedor do prêmio Nobel de Economia em 2002, o ser humano não é tão racional quanto imagina e tomamos decisões financeiras guiados pelas nossas emoções.

O que eu descobri aplicando a teoria de Kahneman é que, se conseguirmos extrair lições positivas até mesmo dos eventos mais trágicos de nossas vidas, então será possível repetir esse feito ao lidar com frustrações relacionadas ao dinheiro.

O chefe que você odeia até hoje talvez nem se lembre mais de você, mas, enquanto você não souber ser grato(a) ao que aprendeu com essa relação difícil, ele estará sempre "travando" o seu caminho.

Uma pergunta importante para a sua reflexão é: Você prefere guardar rancor e ser triste ou investir dinheiro e ser próspero(a)?

Pode ser que você se sinta extremamente desconfortável com a tarefa de hoje. Pode ser que não queira reabrir velhas feridas. Se não tiver coragem de ligar, pelo menos escreva um e-mail, uma carta, o que for. Mesmo que não mande, ponha no papel ou na tela do celular ou computador toda a sua mágoa, tudo o que você aprendeu e também a sua gratidão.

Lembre-se: é o que os milionários fazem. Você está no caminho certo. Pode praticar aqui.

Querido(a) .... ,

....

....

....

....

....

Atenciosamente,

....

(assinatura)

MEUS GASTOS DE HOJE

O quê	Quanto	Por quê	Onde	Como
	R$			
	R$			
	R$			
	R$			
	R$			
	R$			

Hoje eu fiz R$ .... **de renda extra!**

Eu não seria nada sem...

....

....

....

....

....

DIA 33

/ /

AH, QUE FESTA DA RIQUEZA!

Tempo: o dia inteiro

Você não tem ideia de como estou orgulhosa, feliz e emocionada hoje.

Se você seguiu à risca o passo a passo deste guia e fez direitinho as tarefas diárias, como a gente combinou lá no começo, tenho certeza de que sua vida mudou. **Para melhor. Muito melhor.**

Se você tem dívidas, está quitando, no seu ritmo, do seu jeito. Se não tem, está investindo. Se não deu para investir ainda, está vivendo com o dinheiro que você tem **de verdade**, não com o giro do cartão de crédito ou do cheque especial. Tá com saudade de uma comprinha parcelada? Aposto que não.

Esses 33 dias foram um tempo para você olhar para o que estava fazendo com o seu presente e o seu futuro. Para se conhecer e cuidar de você, hoje e amanhã.

"Nath, não chora, para com isso que hoje é dia de festa!"

Tô chorando de alegria!

Com tudo isso que aconteceu, hoje nós vamos fazer um balanço do que vivemos juntos até aqui.

Você tem duas tarefas pela frente.

A primeira é refazer a sua autoavaliação. Aquela que você fez antes de começar as tarefas práticas deste livro, na página 25. Repeti as perguntas aqui para você ler de novo e indicar de 1 a 10 se as afirmações representam ou não sua vida financeira atual, sendo 1 "Nada a ver com a realidade" e 10 "Exatamente a minha realidade". Vamos lá?

1. Tenho muita facilidade em falar sobre dinheiro. Quando me perguntam quanto ganho, respondo de boa. Não sinto vergonha de pedir desconto em lojas nem de negociar aumento de salário.

1	2	3	4	5	6	7	8	9	10

2. Todos os meses, poupo 30% ou mais do que ganho.

1	2	3	4	5	6	7	8	9	10

3. Sempre comparo preços antes de comprar alguma coisa ou contratar um serviço e decido com base na pesquisa que fiz.

1	2	3	4	5	6	7	8	9	10

4. Estou rodeado(a) de pessoas que me estimulam a buscar sempre o melhor de mim, oferecendo bons conselhos, orientações sensatas e críticas construtivas.

1	2	3	4	5	6	7	8	9	10

5. Pratico o consumo consciente e resisto às compras por impulso, pois uso meu suado dinheiro com inteligência e planejamento.

1	2	3	4	5	6	7	8	9	10

6. Nunca faço parcelas sem antes me planejar. Só financio o que vai me fazer economizar ou ganhar mais dinheiro. Parcelar supérfluos nem pensar.

1	2	3	4	5	6	7	8	9	10

7. Invisto regularmente meu dinheiro porque sei que esse é o caminho para realizar minhas metas, das mais simples às mais ambiciosas. O dinheiro trabalha pra mim, não eu pra ele.

1	2	3	4	5	6	7	8	9	10

8. Estou sempre em busca de novos aprendizados, que podem vir por meio de livros, vídeos, cursos on-line e off-line – porque sei que podem turbinar a minha vida profissional e pessoal.

1	2	3	4	5	6	7	8	9	10

9. Além da minha renda "oficial", sou capaz de pensar em situações/ações/talentos que me proporcionem renda extra rapidamente.

1	2	3	4	5	6	7	8	9	10

10. Acompanho o noticiário econômico todos os dias. Isso me ajuda a cuidar melhor do meu dinheiro.

1	2	3	4	5	6	7	8	9	10

Reflita sobre as suas respostas. Qual é a nota que você dá para a sua vida financeira HOJE? Você pode se basear na nota que se repetiu com mais frequência ou calcular sua média, somando todas as notas e dividindo por dez.

Lembra qual era a sua nota antes de começar as tarefas deste guia? Checa lá na página 28. Se você melhorou pelo menos um pouquinho, já me sinto realizada.

Você também tinha uma meta a alcançar em 33 dias. Chegou lá ou ainda precisa trabalhar um pouco mais neste sentido? O importante é que você está no caminho certo! E isso vai ficar ainda mais nítido com a sua nova selfie financeira.

Volte lá no **Dia 8** e copie os números da sua antiga selfie no primeiro gráfico da página ao lado. Agora, anote no segundo gráfico o que está entrando hoje no seu bolso: o aumento de salário e a renda extra que você batalhou para conseguir. Depois, escreva quanto você está gastando – use o extrato pintado com canetinhas, as contas fixas que renegociou, os descontos que pediu e comemore cada real que deixou de ir embora pelo ralo. Então, se tiver dívidas, escreva o novo total que você está devendo depois da renegociação que fez. Por último, me conte quanto tem investido na sua conta na corretora. Esses dados atualizados pedem um retrato mais sorridente, não?

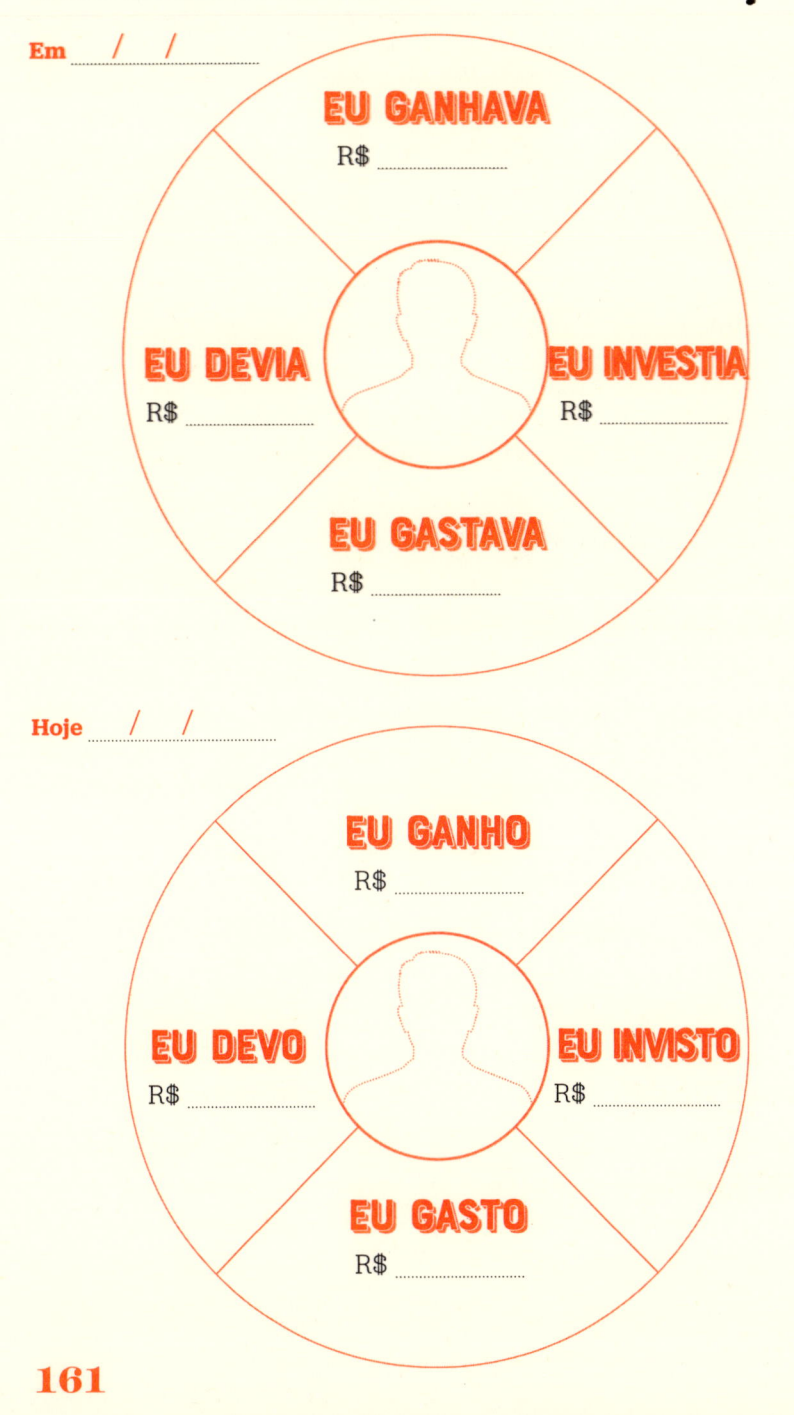

Em .... / .... / ....

- **EU GANHAVA**
  R$ ....
- **EU DEVIA**
  R$ ....
- **EU INVESTIA**
  R$ ....
- **EU GASTAVA**
  R$ ....

Hoje .... / .... / ....

- **EU GANHO**
  R$ ....
- **EU DEVO**
  R$ ....
- **EU INVISTO**
  R$ ....
- **EU GASTO**
  R$ ....

Olhe bem para as duas selfies. Compare. Pode chorar de emoção, tá liberado!

Pode ser que você ache que melhorou pouco. Vai por mim: MESMO O POUCO QUE VOCÊ CONSEGUIU É MUITO! A gente está mexendo em hábitos muito consolidados. Estamos tratando uma dinheirofobia brava e virando a chave da sua mente para o modo riqueza. Olhe para o que você conseguiu até aqui e diga pra você mesmo(a), se olhando no espelho:

"Se eu cheguei até aqui, posso chegar aonde eu quiser!"

Vai festejar, porque você merece. Um brinde à sua nova vida financeira!

Ah, que festa da riqueza!

Não se esquece de me convidar, ou melhor, de me marcar com a hashtag #GuiaPraticoFestaDaRiqueza.

E para nunca perder o hábito...

MEUS GASTOS DE HOJE

O quê	Quanto	Por quê	Onde	Como
	R$			
	R$			
	R$			
	R$			
	R$			
	R$			

Hoje eu fiz R$................................ **de renda extra!**

Enriquecer é...

....
....
....

CICLO DE RIQUEZA

Agora que você chegou ao fim deste ciclo, tem nas mãos a escolha de fazer o que quiser com este livro:

1. Emprestá-lo ou doá-lo para alguém que esteja precisando de paz financeira.

2. Guardá-lo e transformá-lo no seu guru de cabeceira, sempre por perto para ajudar você a se manter no caminho da luz, sem cair em tentações e sem colocar todo o seu planejamento a perder.

3. Dar um tempo de duas semanas e começá-lo de novo, fazendo valer o maior custo-benefício deste guia prático: ele nunca ficará obsoleto.

A ideia de fazer um livro infinito vem do conceito básico do planejamento financeiro pessoal de que precisamos reavaliar nossas metas, estratégias, sentimentos e deslizes frequentemente.
É no aprendizado contínuo que vive a nossa liberdade.

Com amor,
Nathalia Arcuri

PARA REFLETIR: SE VOCÊ TEM OU PENSA EM TER...

CARRO

Meninos e meninas, ops, homens e mulheres...

Precisamos falar sobre carro. Tenho umas coisinhas para dizer sobre isso, mas a pergunta que deve estar na sua mente é esta: **Você é uma pessoa que pode se permitir ter um carro?**

Fico pê da vida quando ouço alguém dizer que carro é investimento. Vamos lá: como é que um bem que você compra por 30 mil (e se financiar ou fizer um consórcio pode chegar a 50 mil reais!) e algum tempo depois vende por 15 mil pode ser chamado de investimento? Investimento acelera o seu percurso até a riqueza sem que você tenha que fazer nada por isso. Nada a ver com uma compra que te deixa mais pobre.

Carro não é investimento, é bem de consumo. O conforto de um carro tem seu preço, e tudo bem ter carro, desde que ele não te impeça de realizar outros sonhos.

Além do custo do próprio carro, essa compra ainda traz um pacote de despesas que nem sempre cabe na sua vida financeira. E aí o que acontece? Você se ENDIVIDA. Por quê?

- Porque quem tem carro precisa pagar todo ano um imposto chamado IPVA (Imposto sobre a Propriedade de Veículos Automotores), que é uma fração do valor do carro.
- Porque precisa licenciar o veículo e quitar o DPVAT (Danos Pessoais por Veículos Automotores Terrestres), um seguro obrigatório pago uma vez ao ano.
- Porque precisa abastecer o carro e contratar um seguro contra acidente, furto e outros imprevistos.
- Porque precisa fazer revisões periódicas.
- Porque está sujeito a levar multas.

"Ah, Nath, mas eu sou vendedor autônomo/entregador de objetos comprados pela internet/motorista particular. Eu preciso de carro."

Como já falei, não tenho nada contra ter um carro, mesmo porque, nessa situação, o carro te ajuda a ganhar dinheiro. Eu mesma tenho carro.

Mas... Eu só tenho carro porque fiz todas as contas e sei que posso bancar esse conforto. Esse é o ponto. Você fez as contas?

Se você fez as contas e a resposta é sim, ótimo. Se a resposta é não, aceita que dói menos: vender o seu carro pode ser a melhor providência para a sua vida atual. Com o dinheiro da venda, você pode quitar dívidas ou fazer um investimento de verdade, em algum produto que de fato trabalhe por você em vez de te obrigar a trabalhar mais para mantê-lo.

CASA PRÓPRIA

Se comprar sua casa ou seu apê for um dos seus sonhos, pare um minutinho e avalie se é melhor financiar ou alugar um imóvel.

Eu quero deixar bem claro que a minha ideia não é te fazer desistir do seu sonho, muito pelo contrário. Meu desejo é que você compre a sua casa gastando menos dinheiro e, de preferência, enriquecendo no meio do caminho.

Você vai entender quando vir com os seus próprios olhos.

Para chegar à sua própria conclusão, entre agora mesmo no site **mepoupenaweb.com** e vá até o simulador "alugar ou financiar".

Se você já tem um financiamento, basta preencher com os dados que encontra no boleto. Caso esteja pensando em financiar um imóvel, pegue dados reais com um banco. Então...

PASSO 1: Coloque seu e-mail no topo do simulador.

PASSO 2: Indique o valor do imóvel que você financiou ou pretende financiar.

PASSO 3: Insira o valor do aluguel correspondente. É muito importante que você compare imóveis semelhantes. É bem fácil encontrar essa informação em sites de compra e aluguel de imóveis.

PASSO 4: Calcule a valorização anual. Esse campo fica em branco porque a valorização de um imóvel depende muito da região onde se encontra. Uma boa base é a expectativa de inflação para os próximos anos divulgada pelo boletim Focus do Banco Central (**www.bcb.gov.br/publicacoes/focus**).

PASSO 5: Indique a projeção do IGPM. Calma, não surte ainda. O IGPM também é usado para medir a inflação e é o índice que consta da maioria dos contratos de aluguel para o reajuste anual do valor pago. Se você não tem ideia de que valor colocar, pode olhar no boletim Focus ou seguir a recomendação do simulador.

PASSO 6: Preencha os dados do financiamento.
Na sequência você vai inserir:
- a entrada, que costuma ser de no mínimo 20% do valor do imóvel;
- os custos de aquisição com contrato, registro, etc., que costumam ficar perto de 5% do valor total do imóvel.

O próprio simulador vai somar o valor total necessário para "começar a brincadeira" e indicar o total que será financiado.

PASSO 7: O prazo. Coloque o número total de meses do financiamento.

PASSO 8: Insira o Custo Efetivo Total (CET). É um grande erro considerar apenas a taxa de juros que o banco cobra. Com taxa de administração e seguros embutidos no financiamento, o CET pode elevar, e muito, o que vai sair do seu bolso. Um financiamento com juros "baixos" de 6% ao ano pode aumentar para 8% graças a esses custos extras. Você encontra esse dado no seu boleto ou em simulações de financiamento.

PASSO 9: Preencha os dados do investimento.

O simulador foi feito para projetar automaticamente o valor que poderia ser investido caso você optasse pelo aluguel e aplicasse o excedente da parcela do imóvel levando em consideração a tabela SAC, cujas parcelas vão diminuindo com o tempo.

> **Lá no campo "rentabilidade mensal" é que está a chave do sucesso financeiro.**

Você pode fazer várias simulações, começando pela rentabilidade mínima, que é a mesma da taxa Selic. Se você entrar no site do Banco Central, vai encontrar a taxa Selic mês a mês. O maior desafio aqui é entender que quanto mais alta a rentabilidade, menos vale a pena financiar. Ou seja: ou você aprende a investir ou vai enriquecer apenas o banco.

Faça a simulação quantas vezes quiser e, aí sim, pode surtar. Você descobriu o que algumas pessoas já sabem e estão colocando em prática: investindo bem você compra seu imóvel à vista antes do prazo de um financiamento.

RESPOSTAS

DIA 7

Teste: Você sabe investir?

São investimentos: 1 – 2 – 4 – 6 – 7 – 8 – 9.

A ordem correta é: 10 – 6 – 8 – 3 – 5 – 9 – 2 – 1 – 4 – 7.

DIA 23

Onde investir para realizar seus sonhos?

1. Casa ou apartamento (sonho de longo prazo, acima de 10 anos): Tesouro IPCA, CDB/LCI/LCA, fundos de renda fixa, fundos multimercado, fundos de ações, fundos imobiliários, ações.

2. Viagem (se for a viagem dos sonhos para daqui a dois anos): Tesouro Selic, CDB/LCI/LCA com vencimento próximo à data de realização da viagem.

3. Carro ou moto (se for um sonho para daqui a três anos): CDB/LCI/LCA com vencimento próximo à data em que pretende comprar o carro.

4. Filhos (considerando uma reserva para a faculdade das crianças, prazo acima de 10 anos): Tesouro IPCA.

5. Independência financeira: Tesouro IPCA, CDB/LCI/LCA, fundos de renda fixa, fundos multimercado, fundos de ações, fundos imobiliários, ações.

6. Empreender (considerando um sonho de médio prazo, entre 3 e 5 anos): Tesouro Selic, CDB/LCI/LCA.

7. Quitar dívidas: Tesouro Selic.

8. Reserva de emergência: Tesouro Selic, CDB de liquidez diária.

ATENÇÃO! Antes de fazer qualquer investimento, consulte o seu perfil de investidor(a). A renda variável é indicada pra quem pensa a longo prazo e tolera bem olhar o site da corretora e às vezes ver o dinheiro diminuindo. Quanto maior for o seu conhecimento sobre os vários tipos de investimento, menor será o seu risco de perder dinheiro.

NOTAS

Dia 1. ___/___/___

Dia 2. ___/___/___

Dia 3. ___/___/___

Dia 4. ___/___/___

Dia 5. ___/___/___

Dia 6. ___/___/___

Dia 7. ___/___/___

Dia 8. ___/___/___

Dia 9. ___/___/___

Dia 10. ___/___/___

Dia 11. /   /

Dia 12. /   /

Dia 13. /   /

Dia 14. /   /

Dia 15. /   /

Dia 16. __/__/__

Dia 17. __/__/__

Dia 18. __/__/__

Dia 19. __/__/__

Dia 20. __/__/__

Dia 21. / /

Dia 22. / /

Dia 23. / /

Dia 24. / /

Dia 25. / /

Dia 26. __/__/__

Dia 27. __/__/__

Dia 28. __/__/__

Dia 29. __/__/__

Dia 30. __/__/__

Dia 31. / /

Dia 32. / /

Dia 33. / /

CONHEÇA OUTRO LIVRO DA AUTORA

Me poupe! 10 passos para nunca mais faltar dinheiro no seu bolso

Para saber mais sobre os títulos e autores da Editora Sextante,
visite o nosso site e siga as nossas redes sociais.
Além de informações sobre os próximos lançamentos,
você terá acesso a conteúdos exclusivos
e poderá participar de promoções e sorteios.

sextante.com.br